D1545185

ANNULÉ
PAYÉ

LA MER ÉTAIT SI CALME

DU MÊME AUTEUR

Chez le même éditeur

Jeanne la Polonaise
1. Jeanne la Polonaise
2. Il neige encore sur Varsovie
3. La Force des larmes
Par un si long détour
Les Pêches de vigne
Les Saisons de Vendée
1. Les Saisons de Vendée
2. L'Étoile du bouvier
3. Notre-Dame des Caraïbes
La Malvoisine
Le Chemin de Fontfroide
Les Noces de Claudine
Les Lilas de mer
Prix Charles-Exbrayat 2001
Les Sœurs Robin
Prix du roman populaire
L'Orgueil de la tribu
Grand Prix catholique de littérature 2004
Elle voulait toucher le ciel
La Flèche rouge
La Chanson de Molly Malone
La Mère
La Route de glace
Aide-toi et le ciel...
Délivre-moi

Aux Éditions Le Cercle d'or

Un Tristan pour Iseut
Lise

Aux Éditions Flammarion

La Chasse aux loups
Le Grand Cortège

YVES VIOLLIER

LA MER
ÉTAIT SI CALME

roman

ROBERT LAFFONT

Chaque vague en passant d'un butin s'est chargée...
Ô flots, que vous avez de lugubres histoires !
Flots profonds redoutés des mères à genoux !...

VICTOR HUGO, *Oceano nox*

Puisse votre espoir me donner l'espoir !
Puisse votre foi me donner la foi !
Puisse votre amour me donner l'amour !

Bruce Springsteen aux pompiers
du 11 Septembre à New York

Ce livre est un roman. L'auteur a volontairement déplacé des lieux et des situations. Toute ressemblance avec des événements réels n'est pas le fait du hasard.

À toutes les Alexandra, Julie, Marie, Claire,
Amandine, Sophie, Marianne,
Camille, Martine...

À tous les Guillaume, Jean-Jacques, Philippe,
Simon, Jérémie, Robert...

À toutes les victimes.

À tous ceux qui, avec tout leur cœur,
ont porté secours, de près ou de loin,
aux naufragés de la tempête.

1.

L'écran géant est vide sur la place Maréchal-Leclerc, pour l'instant. Les gendarmes devant les barrières détournent la circulation vers l'extérieur de la ville. Et les rues retentissent du piétinement sourd de tout un peuple en marche appelé par la longue flèche de la cathédrale qui domine la plaine et le marais. Par beau temps, on la voit de Saint-Michel et de L'Aiguillon.

Les uns croient au ciel. Les autres n'y croient pas. Tous sont venus pour une communion. Partager ensemble la douleur. Faire corps. Pleurer avec. Exprimer avec. L'indicible. L'incompréhensible. L'inadmissible. Le temps des comptes viendra après. On aura tout le temps de chercher les responsabilités.

Pour l'heure, c'est le moment du recueillement. De la prière, comme font les hommes quand ils sont démunis et qu'ils se tournent vers le ciel pour appeler, supplier, hurler leur impuissance.

« Mon Dieu ! Mon Dieu ! Pourquoi m'as-tu abandonné ? »

« Qu'est-ce que j'ai fait au bon Dieu pour que m'arrive une chose pareille ? »

À plusieurs, en foule, on a plus de chances de se faire entendre. La prière ou la révolte, c'est tout comme.

Ils arrivent de La Faute, L'Aiguillon, Triaize, Champagné-les-Marais, Grues, Saint-Michel-en-L'Herm, Sainte-Radégonde-des-Noyers, Puyravault. Ils stationnent dans les rues de Luçon, à pleines voitures. Ceux qui n'en ont plus, parce qu'elles baignent encore au fond de l'eau, ont trouvé des places dans celles des autres.

Quand ils referment leurs portières, ils se taisent. C'est drôle cette foule qui va, qui marche, muette à travers la ville, en direction de la cathédrale dans le bourdonnement sourd du glas.

La tristesse de tous les visages qui regardent au-dedans est impressionnante. Peu importe le temps. Le ciel est gris cendre, gris chagrin. Pour tous, il semble qu'il ne fera plus jamais beau.

Ceux qui échangent quelques mots, tout bas, en se serrant la main, ne parlent que de cela, la catastrophe, la tempête d'il y a cinq jours, pendant la nuit de samedi à dimanche.

— Tu l'as entendue arriver ?

— Elle a fait des dégâts chez vous ?

— Il paraît que vous avez été servis...

Le tintement lugubre des cloches de la cathédrale tend comme un voile qui pèse sur la petite ville. Les magasins ont baissé leurs rideaux. Partout, où que l'on soit, même avec les petits enfants dans les maternelles, tout le monde sait ce qui se passe. Le glas qui sonne n'appelle pas à un enterrement ordinaire. Il annonce le deuil de tout un pays, la cérémonie d'hommage de tout un peuple qui ne saisit pas bien encore ce qui lui est arrivé.

La place se remplit rapidement. La cathédrale est déjà pleine. Les quelques places libres ont été prises d'assaut bien avant la sonnerie des cloches. Beaucoup de places sont réservées aux familles des victimes et aux personnalités officielles. Un petit groupe parlemente devant le portail avec les hommes en noir du service d'ordre pour essayer d'entrer, mais ce n'est plus possible.

Le grand écran se couvre de neige. Et puis un premier plan fixe montre la cathèdre de l'évêque, puis les grandes orgues, la statue de la Vierge, la foule qui attend, muette et prostrée. Des cameramen s'empressent et grimpent sur le muret du bord de la route. Les gens les regardent.

Le premier fourgon des pompes funèbres s'approche lentement du portail. Le bourdon s'arrête de battre et c'est soudain un silence qui fait mal, étreint, saisit. Les employés ouvrent les portes arrière, sortent le cercueil qu'ils déposent sur des tréteaux.

Le deuxième fourgon arrive, puis le troisième.

Des enterrements ont déjà eu lieu, la veille, à L'Aiguillon et ailleurs. Trois familles ont accepté des obsèques plus solennelles en hommage à toutes les victimes de la catastrophe. Celles de Michèle, d'Agathe et de Gilles.

Les trois cercueils sont alignés.

Les pompiers et les gendarmes en uniforme s'avancent. Ce sont eux qui vont porter les cercueils. Ils ont travaillé jour et nuit depuis la nuit de samedi à dimanche pour secourir les victimes. Ils n'ont pas dormi. Ils ont sorti de l'eau sept cent soixante-cinq personnes. Hier, mercredi, ils ont trouvé un nouveau corps.

Au cœur d'une nuit ordinaire, une terre de paix et de tranquillité a basculé dans la tragédie.

C'est le bruit de l'eau qui tire Guillaume du sommeil. On dirait un robinet ouvert. Il presse le bouton du réveil. Trois heures douze. Il ne dormait que depuis vingt minutes.

Pourquoi est-ce que j'ai attaché le chien ?

Le zinc d'une gouttière ronfle comme un avion dans la cour. On dirait un véritable avion. Ça ne peut pas être un avion. Il n'y a pas d'avion à voler par un temps pareil.

Ça gronde tout autour avec un boucan d'enfer. Les murs de la maison gémissent et craquent. Est-ce qu'elle va tenir ? Aujourd'hui, ils bâtissent avec des matériaux de rien. Et dessous c'est la vase et le sable.

Les volets roulants battent sans cesse contre les vitres. Est-ce qu'Alexandra a fini par s'endormir aussi ? Elle ne bouge pas. Il n'y a pas moyen de l'entendre tellement ça gronde.

Et pourtant, ce bruit de robinet qui coule. Les tempêtes rendent fou dans ce pays.

Il s'est endormi assis dans son lit. Il se lève, sent le mouillé dans le couloir sous ses pieds nus. Ce n'est pas le pire. Ils sont habitués. Aux fortes marées, l'humidité remonte. C'est le prix à payer. La digue est tout près.

Il marche dans l'humide sur le carrelage du couloir. Il y a un peu plus d'eau dans la cuisine, un demi-centimètre. Il vérifie le robinet de l'évier, tapote le verre du baromètre. Le pain est resté sur la table, et la coupe de fruits. Il pioche une bouchée dans la croûte du pain qu'il déchire. Il est comme ça. Les émotions le creusent. Il a pris du ventre, depuis six ans. Il n'entre plus dans son pantalon de mariage. Il dit qu'il a pris de la force.

Je n'aurais pas dû attacher ce chien.

Il entre dans la salle de bains, promène sa main épaisse jusqu'à la pomme de la douche qui ne fuit pas. Le vent ne fléchit pas. Il gronde comme un moteur et puis, tout d'un coup, accélère, monte et cogne, fort.

Les tempêtes ne font pas plus peur que ça à Guillaume. Il a l'habitude. Il connaît. Quand on est né à L'Aiguillon, on est toujours un peu marin. Il a salué le vieux Grimaud qui sortait de *La Belle Henriette*, face au port.

— Ça va taper, a dit le vieux en soulevant sa casquette bleue.

Il suçait un mégot de cigarette.

— Si ça ne tape pas plus fort qu'en 99...

Guillaume s'assied dans les toilettes, bâille. Alexandra a réussi à obtenir qu'il s'asseye. Un rai de lumière éclaire le couloir. Elle a allumé dans la chambre.

— Amandine dort ? demande-t-elle.

— Je pense.

Il jette un coup d'œil dans la chambre de leur fille en passant.

— Le baromètre ne descend plus. On devrait en avoir encore pour une heure et demie, jusqu'à ce que la marée baisse.

— Une heure et demie !

Il regarde le volet de plastique ployé contre la vitre. Le vent soulève le rideau de la fenêtre. Il s'assied au bord du matelas qui fléchit, se recouche, remonte la couverture sur lui et Alex. Il est lourd, le fils d'un boucholeur, un Clemenceau, Guillaume Clemenceau, de la grande lignée des Clemenceau, dont le plus fameux a sa statue au rond-point des Champs-Élysées, Georges, le Père la Victoire. Le matelas à ressorts gémit sous son poids.

— Qu'est-ce que c'est ? Tu entends ? demande Alexandra.

La lumière s'éteint et se rallume.

— Ça tape dur, c'est vrai.

Est-ce qu'Alex a peur ? Elle n'est pas de nature à paniquer. Elle relève la tête de l'oreiller, rejette ses cheveux noirs qui bouclent toujours, comme gorgés de fureur. Quand elle avait vingt ans, elle les rougissait au henné. Guillaume a aimé ses yeux noirs comme de l'encre de seiche qui l'épiaient au fond de sa peau mate. Ils se connaissent depuis l'enfance mais ils ont mis du temps à se trouver. Il s'interroge encore sur ce que cachent ces yeux quand ils luisent. Il se demande s'il n'est pas passé à côté d'elle. Peut-être est-elle trop compliquée pour lui.

Il sursaute parfois au bruit de la vague contre la digue, la digue de terre au fond de la cour, à trente mètres de la maison.

Mais il n'y a pas de vague. Il ne peut pas y avoir de vague. À la rigueur un fort clapotis. De l'autre côté de la digue de terre c'est le fleuve, le Lay, dont l'embouchure monte et descend avec les marées. Mais le Lay n'est pas la mer. Il est un cours d'eau de plaine et de marais aux eaux calmes. Plus en aval se trouvent les battures, là où les eaux du fleuve et de la mer se rejoignent.

Là, ça secoue, ça brasse, au-delà de la pointe d'Arçay.

Il faudrait, en tout cas, mieux entretenir les digues. C'est toujours pareil. L'État, les collectivités locales et les riverains se renvoient la balle.

La météo a lancé l'alerte rouge dans l'après-midi, mais ils ont tellement l'habitude d'ouvrir le parapluie que personne ne s'est inquiété plus que ça. À la tombée du jour, parce que le vieux Grimaud lui a dit que ce qui compliquait les choses c'était la marée de 109, Guillaume est monté sur le toit de la bergerie. Alex lui répète depuis un an :

— Il faudrait changer les rivets des tôles de la bergerie.

Le hangar de la cabane de la Prée, en parpaings et en tôles, n'est pas forcément une bonne affaire. C'est vrai qu'ils l'ont toujours connu là et qu'il a résisté aux tempêtes, mais l'air salé ronge le fer. Les rivets malades lâchent les uns après les autres. La cabane, au milieu du marais, n'est protégée que par un cordon de tamarins. La vieille maison de pierre blanche avec un étage au ras du canal n'était plus habitée depuis quinze ans. Guillaume a remanié la couverture. Il a doublé les cloisons. Ils ont projeté de s'y installer. Ils s'y installeront un jour. En attendant, ils louent cette maison d'ostréiculteur dans le nouveau lotissement de La Faute, rive droite de l'estuaire du Lay, au bout du bout de la rue de la rade d'Amour.

Le petit port des pêcheurs est tout près. Toutes les rues du lotissement viennent mourir contre la digue, rue des Gabarres, des Étrilles, des Misottes. C'est formidable. On a tout à portée. Les parcelles ont « les pieds dans l'eau ». Avant, quand il n'y avait que la forêt et deux ou trois villas sur la dune, le chemin de la rade d'Amour existait déjà. Il ne débouchait nulle part que dans les dunes et les taillis de tamarins où quelques gaillards du pays donnaient rendez-vous à des vacancières en mal d'exotisme...

Guillaume se demande maintenant si ça ne va pas être difficile de déménager à la cabane de la Prée. Alex apprécie le confort des commerces et de l'école toute proche pour Amandine. Elle ne parle plus de partir.

Quand il est monté sur le toit, à la tombée du jour, il n'y avait pas un brin d'air. Il faisait incroyablement doux. Il voyait d'en haut par-dessus la grande digue de défense en pierre. La mer était déjà presque noire dans l'ombre couleur bleu coquille de moule. Il n'y avait qu'un nuage, comme un gros poisson endormi sur l'océan. La lune ronde s'était rivée au ciel. Le pont de Ré dans une dernière flaque de clarté brillait comme sous les feux d'un projecteur.

L'air sentait le sel, les algues, les sarres. Il a reniflé des relents du soleil de l'après-midi dans la

manche de son chandail en suivant des yeux le fossé
du russon, le ruisseau, à travers le marais.

Un jour, quand il était gamin, son père y est
tombé dans un trou jusqu'aux épaules en cher-
chant des crabes. Il aurait pu se noyer. Ses copains
l'ont tiré de là. Et ils ont vu à l'endroit où la vase
et le sable se rejoignent quelque chose qu'ils ont
pris pour un tronc d'arbre plein d'entailles et de
clous rouillés. Et puis ils ont déterré des planches,
des bouts de cordages emmêlés. L'arbre était le mât
d'un bateau. Les planches, celles du bordage,
encore fixées à des couples de sa membrure.

Guillaume a respiré l'odeur d'herbe verte sur le
marais. Il a compris que la végétation éclatait. Le
printemps arrivait. Les bêtes devenaient impa-
tientes de sortir et il était aussi heureux qu'elles de
retourner dans la nature.

Alexandra finissait avec les brebis dans la bergerie. Leurs crèches et leurs mangeoires étaient
garnies de foin et de grain.

— On ne dirait pas qu'il va y avoir de la tempête,
a-t-elle dit quand il rentrait l'échelle.

Elle est sortie, les bottes aux pieds. En dénouant
le foulard dont elle protège ses cheveux, elle a
regardé la digue et le gros poisson dans le ciel.

Guillaume a appelé le chien, fixé machinalement
la chaîne à son collier. Il leur est arrivé de le laisser
comme ça dans le hangar sans l'attacher, par
mauvais temps. Patou, le bâtard qui les suit depuis
le début, redoute les marées, les grandes malines,
les tempêtes. Tranquille comme un bon berger, il
devient fou et aboie à la mer quand elle se brise sur

les défenses. Quand les vagues se fracassent, il hurle comme si elles allaient déferler et inonder les marais. À l'abri sur la paille de la bergerie, dans la chaleur des moutons, il se rassure, se calme.

Pourquoi Alexandra ne m'a rien dit ? Je n'aurais pas dû le laisser tout seul, là-bas, dehors.

— J'éteins ?

— Si tu veux.

Les Murail rentraient leur voiture quand ils sont revenus de la Prée. Le vieux pilote un petit doris à moteur et prend des bars à la ligne entre Saint-Martin-de-Ré et la côte. Guillaume est allé pêcher avec lui et sa femme, Marianne, aux cheveux tout blancs. Elle est très douce. On ne l'entend pas. Elle n'était pas tranquille sur le bateau.

Ils ont acheté ici à la retraite, il y a quinze ans. Ils y habitent toute l'année et ne retourneraient pour rien au monde où ils étaient avant. Beaucoup des résidents du lotissement sont d'ailleurs des retraités comme eux, mélangés à quelques ostréiculteurs et mytiliculteurs. Le reste des maisons est vide la moitié du temps. Aux fêtes, aux vacances, ça revit. Le lotissement rajeunit et se remplit de cris, de rires, d'odeurs de barbecue, de maillots de bain et de serviettes de plage sur les cordes entre les arbres.

Guillaume a baissé sa vitre pour saluer le vieux Murail.

— Il va falloir barricader. Ça va taper.

— Ma femme a voulu des bougies. Il lui faut toujours des réserves comme pour un siège.

— Elle n'a pas trop rempli le frigo ? Si le courant saute...

— Allez lui dire.

Le vieux a posé sa main sur la portière.

— On était là en 99. Le courant a été coupé pendant cinq jours. Depuis, ma femme panique au premier coup de vent. Elle accumule. Tant pis si ça se perd.

— Vous connaissez les consignes, comme pour un incendie : ne pas ouvrir les portes, ne pas bouger, attendre l'arrivée des secours.

Le vieux a rentré la main dans la fourgonnette et pressé l'épaule de Guillaume.

Une détonation retentit contre le mur comme un coup de feu au fond d'une cave, juste derrière la tête du lit. Une autre.

— Qu'est-ce que c'est ?

— Je ne sais pas. Quelque chose qui a volé.

— Des branches ?

— Des tuiles...

Il se rapproche de la place chaude d'Alexandra. Elle ne s'est pas levée. Elle le laisse poser les pieds sur ses jambes.

Un troisième impact, plus sec. On sent le vent au maximum. Toutes les embrasures, les génoises, les encoignures, les gouttières, se plaignent. Les vibrations des volets s'emballent. Alexandra presse le bouton de sa lampe, recommence.

— La lumière est coupée.

Guillaume essaie la sienne, en vain.

Elle ouvre le tiroir de sa table de nuit, trouve la lampe électrique. L'allume.

Le rideau se soulève, presque à l'horizontale. Par où le vent entre-t-il ? Ils sentent sa pression à l'intérieur comme dans un ballon. Ils croyaient cette maison bien close.

Alexandra éclaire vivement au-dessus de leurs têtes comme si elle craignait que le plafond s'envole.

Il dit :

— Ce sont les appels d'air dans le conduit de cheminée.

Et puis :

— Tu entends le glouglou ?

Il lui prend le bras, dirige la lampe vers le bas.

Ils ne voient rien d'abord.

Et puis ils se rendent compte que la lumière de la lampe bouge sur le carrelage. Un serpent d'eau ruisselle et se répand autour de leur lit.

Julie dort à poings fermés dans sa petite maison de location à la pointe de L'Aiguillon. Elle est rentrée à une heure.

En temps normal, le samedi, le casino de La Faute où elle travaille ferme à trois heures. Le patron a décidé de boucler plus tôt. Il n'y avait qu'une vingtaine de clients. Il ne veut plus prendre de risques depuis la tempête de 99.

Julie a déposé sa collègue Camille devant sa maison. Elles sont restées dans la voiture finir leur cigarette. Le portillon de la cour battait au vent. Camille s'est emportée contre son mari qui n'avait pas été foutu de fermer. Julie a plaisanté.

— Il a laissé ouvert pour toi. C'est sa manière de dire qu'il t'attend.

— Il peut toujours m'attendre !

— Tu vas être « gentille » avec lui. Tu rentres avec deux heures d'avance !

— S'il a fait la vaisselle, sinon...

Camille étale son rouge à lèvres autour de sa bouche pour l'élargir. Elle se plaint de sa belle-mère qui ne l'aide pas. « Quand j'ai besoin d'elle pour garder ma fille, je suis tranquille : elle n'est jamais disponible ! »

— Tu crois que « l'autre » nous paiera ces deux heures ?

Camille parle comme ça du patron quand elles sont entre elles.

— Il n'est pas obligé. On ne les a pas faites.

— Ce n'est pas notre faute s'il y a la tempête ! Merde ! D'ailleurs, il n'y a même pas de tempête. L'alerte était pour le milieu de la nuit.

Elle a ouvert la portière de la voiture.

— Elle est où, la tempête ? Tu la vois, la tempête ?

Elle a écrasé sa cigarette dans le cendrier, s'est extraite d'un coup de reins et a retenu la portière pour lui éviter de claquer. Julie a descendu la vitre.

— Tu me dis si la vaisselle est faite !

Camille a tiré le verrou du portillon derrière elle, laissé la porte de sa maison entrouverte, est revenue, a levé le pouce dans la lumière. Julie a démarré en souriant, tourné le bouton de la radio. Le journaliste renouvelait les consignes de prudence sur la côte. Elle a cherché de la musique sur une autre station.

Elle a rejoint la rive gauche du Lay, la grande digue de pierre. Ses phares ont éclairé les petits escaliers aux marches détériorées, les gros blocs de rochers qui colmatent les trous dans le mur endommagé.

Elle a monté le son sur la chanson « Le lundi au

soleil » en pensant à Camille qui devait être « gentille » en ce moment avec son mari. Il avait intérêt à assurer.

Elle a allumé une nouvelle cigarette au mégot de la précédente. Elle était seule sur la route toute droite. Elle a passé les villages, les maisons de vacances en désordre, les terrains de camping à demi sauvages. Elle a ouvert la vitre pour chasser la fumée. Elle ne sentait pas le vent, à l'abri de la digue. Les branches d'une haie de mimosas frissonnaient autour d'un cabanon et d'une caravane.

Elle a chassé Bobby de sa pensée. Ses expériences amoureuses ont été un désastre. Elle ne se croit pourtant pas pire que les autres. Elle a collectionné les gamelles. Sa mère l'a élevée dans un cocon trop douillet, trop honnête. Julie a laissé venir à elle ceux qu'on n'aimait pas, les affamés, les chiens errants. Ils se sont serrés contre sa poitrine, l'ont piétinée, se sont vautrés sur son amour. Aucun n'a essayé de prendre le chemin de son cœur.

Elle s'est réfugiée à La Faute. Elle a trouvé ce job à la fin de l'été et cette maison à louer au village des Sablons, à l'extrémité de la Pointe, là où les dernières défenses sont les dunes de sable, un peu avant la maison des douaniers. Elle avait encore besoin d'entendre le grondement de l'océan. Elle ne pouvait pas couper d'un seul coup avec l'Irlande, Castlebar, Bobby. C'était encore trop frais. La plaie n'était pas refermée.

Elle n'a invité personne chez elle depuis trois mois, pas même Camille qui a tout de suite été aimable avec elle. Un agent immobilier est sorti du casino en même temps qu'elle, un soir, mais quand il a mis la main sous sa jupe noire, elle lui a cassé ses lunettes.

Quelques gouttes de pluie l'ont piquée quand elle est descendue de voiture. Les nuages, venus de la mer, couraient vers les marais. Elle a poussé lentement sa porte parce qu'elle l'a sentie qui l'attendait par-derrière.

— Qu'est-ce que tu fais là, Marinette ?

Marinette a miaulé en frottant contre ses bottines ses cinq kilos de chatte fourrée comme une mère abbesse.

— Pourquoi tu ne dors pas ?

Marinette a posé son regard vert sur elle. Elle a levé le bâton de sa queue comme un vivant reproche.

— Qu'est-ce que tu as ?

Julie est allée vérifier l'assiette des croquettes. Elle a versé un peu de lait que Marinette a poliment reniflé mais n'a pas goûté. Elle a envoyé valser ses bottines, a marché sur ses collants jusqu'à la chambre.

Elle a touché l'étui de violon sur sa commode, a mis le doigt sur le fermoir, a fait glisser ses collants, a dégrafé son soutien-gorge.

Elle avait besoin de dormir, dormir, mais elle n'était pas sûre de ne pas gaspiller les deux heures de bonus accordées par la tempête. Elle n'arrive plus à trouver le sommeil toute seule. Ces quatre mois n'ont pas encore suffi à la sevrer des cris, des rires, des chants, des accents... Elle n'aurait peut-être pas dû s'installer au bord de l'océan. Il lui rappelle trop la falaise d'Achill Island, la caravane.

Elle a enfilé un vieux cardigan rose sur son tee-shirt de nuit, des chaussettes. Elle n'allume les radiateurs électriques que le matin quand elle se lève. Quelquefois, elle s'enveloppe dans sa couverture sans les allumer. Elle a évité de s'attarder sur les yeux tristes de la fille aux cheveux presque blonds, entre blonds et roux, plus roux que blonds, qu'elle démaquillait dans le miroir de la salle de bains. Elle a rempli le gobelet d'eau, avalé le cachet bleu qui l'attendait sur sa table de nuit.

Le lundi au soleil
C'est une chose qu'on n'aura jamais...

Elle a fermé les yeux, les a rouverts dans le noir. Elle a respiré l'odeur de mer, frissonné.

Elle ne pensait pas à la tempête. Marinette a miaulé dans la cuisine. Qu'est-ce que sa chatte avait, ce soir ?

Ses yeux se sont refermés tout seuls et elle s'est laissé emporter dans les brumes en vagues du cachet bleu.

Guillaume saute du lit. Alex aussi.

— Elle est glacée !

L'eau leur arrive aux chevilles. Ils enfilent quand même leurs pantoufles trempées.

— Tu sais où est l'autre lampe ?

Il attrape le balai-brosse dans le placard de la cuisine et pousse l'eau vers la grille d'évacuation sous le paillasson de l'entrée. La maison a été bien faite. Le constructeur a ménagé un vide sanitaire de plusieurs rangs de parpaings. Alexandra pousse aussi avec le ramasse-poussière.

Mais l'eau revient, de plus belle.

Il pose son balai. Le vent tambourine. Peut-être bien qu'il s'est mis à pleuvoir aussi. Il dirige le faisceau de sa lampe vers la grille.

— Elle entre par là.

C'est là que ça bouillonne, en effet, comme dans l'œil d'une source. Il regarde sous la porte.

— Elle entre partout ! Putain !

Alexandra sort de dessous l'évier le paquet de lessive, les flacons de liquide vaisselle, les chiffons, le débouche-évier, des boîtes, les monte sur l'évier. Elle a trouvé l'autre lampe. Elle n'a sur elle que sa chemise de coton rayé bleu et blanc. Il dort tout nu. Il a enfilé sa robe de chambre en polaire pour circuler. Il regarde les longues jambes nues d'Alex dans le faisceau de sa lampe, couvertes de chair de poule.

— Si le courant est coupé, on n'a plus de chauffage.

— Je vais m'habiller. J'ai froid. Viens, toi aussi.

L'eau dépasse déjà la plinthe. Amandine dort.

2.

Le Premier ministre sort du jardin de l'évêché en gabardine bleu nuit. Le préfet, le président du conseil général le suivent. Ils s'arrêtent devant les trois dépouilles pour une minute de silence, le visage figé dans le deuil.

L'aiguille de la pendule est proche de trois heures. Le murmure confus de la foule chuchotante qui se bousculait un peu pour s'approcher des barrières s'estompe et cesse. Les gens ne bougent plus. Les hommes se découvrent.

La caméra montre en plan fixe la silhouette trapue du Premier ministre, ses cheveux noirs. Des pigeons tournent autour de la flèche de la cathédrale. On entend les froissements de leurs ailes qui déchirent l'air immobile. Il n'y a pas de vent, les drapeaux n'ont pas un frisson. Pas de soleil non plus. Comme si le ciel lui-même se retenait.

Le Premier ministre s'écarte. Un prêtre en ornements violets l'accueille devant le portail de la cathédrale. La caméra montre dans la foule une femme qui pleure, le mouchoir sur le visage, un couple épaule contre épaule qui se tient par la main, des enfants serrés contre les jambes de leurs parents. Car il y a aussi des enfants. Leurs parents ont voulu qu'ils soient là. Afin qu'ils n'oublient pas.

Les gendarmes soulèvent les cercueils. Les parements rouges de leurs vestes bleues sont retournés. Ils appuient leurs gants blancs sur le bois blond verni à côté de leur tête. Ils tournent devant le portail, leur fardeau sur l'épaule, et entrent dans la cathédrale où les gens sont debout.

Les trois familles les suivent, dos courbés, visages sans visage, ameulonnées en trois groupes compacts. Les plus proches marchent devant, les plus anciens, les plus abattus, les plus hésitants, ceux qui ont besoin d'aide, les vieilles mères, les vieux pères, les frères, les sœurs.

— Les premiers, ce sont ceux de Michèle.

— Après, ceux de Gilles. Je les connais. Ils venaient en vacances. Je les ai encore salués à Noël.

— Moi, c'est Agathe que je connaissais bien. Je connaissais aussi les deux autres. Mais Agathe... Qui aurait dit... Ce n'est pas juste.

— Qu'est-ce que la justice a à voir là-dedans ?

Les familles prennent place à droite devant le chœur, à côté de leurs morts.

Le Premier ministre, le préfet, le président du conseil général, les députés, les sénateurs, les colonels de la gendarmerie et des pompiers, les maires de L'Aiguillon et de La Faute et des dizaines de maires de Vendée sont à gauche. Mille sept cents personnes sont rassemblées sous les hautes voûtes de la cathédrale gothique qui retentissent du premier chant : « Celui qui aime a déjà franchi la mort ».

Jean-Jacques Montauran est arrivé à sa maison du village du Génie après la tombée de la nuit. Sa femme, Marie, était avec lui, et ses deux petits-enfants, Jérémie et Claire. Ils sont fatigués. Ils sont partis de Nantiat, leur domicile, trop tard en début d'après-midi, avec le fourgon de l'entreprise. Les Montauran sont menuisiers de père en fils depuis quatre générations. Le premier s'appelait Jean, le deuxième Jacques, le grand-père s'appelle naturellement Jean-Jacques, et le père des deux petits, Simon.

Ils transportaient deux nouvelles literies pour remplacer les anciennes qui sont mortes, un petit meuble de télé et des chaises de jardin. Personne n'a su qu'ils étaient là. Ils ne se sont pas arrêtés chez la boulangère de L'Aiguillon qu'ils connaissent bien. À cette heure-là, un samedi, elle n'a plus de pain. Marie Montauran, prévoyante, avait les provisions qu'il fallait.

Ils ont failli reporter le voyage quand ils ont appris l'alerte rouge sur la côte. Mais le fourgon était chargé. Ils avaient promis à Jérémie, six ans, et à Claire, quatre, de les emmener avec eux. Ils faisaient l'aller et retour. Ils ne dormiraient qu'une nuit. Les ouvriers avaient besoin du fourgon sur leur chantier, le lundi, et les petits allaient à l'école.

Ils ne disent pas L'Aiguillon. Ils ont toujours dit la maison du Génie. « On va à la maison du Génie. » Parce qu'elle est construite dans le contrebas, à ras de marais, derrière les ruines de la grande maison des ingénieurs qui ont dirigé les travaux de la digue. Un semblant de village de vacanciers s'est édifié autour, qu'on a appelé le village du Génie. Jacques y a planté le marabout de la famille pour la première fois en 1952. Jean-Jacques s'en souvient. Il avait douze ans. Il n'y avait rien alors, autour des ruines, que le vieux wagon aujourd'hui enfoui sous les ronces qui servait d'abri aux chasseurs.

Ils n'ont pas perdu de temps. Ils avaient décidé de dormir sur les nouvelles literies. Marie a allumé les radiateurs électriques, aidé Jean-Jacques à transporter sommiers et matelas en surveillant les pizzas dans le four, pendant que Jérémie mettait le couvert avec sa petite sœur. N'empêche, le temps de tout déménager, d'ôter les plastiques d'emballage, de faire les lits, de manger, il a tout de suite été dix heures quand ils sont sortis pour le pèlerinage que les petits réclamaient.

C'est systématique. Quand ils arrivent, par n'importe quel temps, à n'importe quelle heure, ils remontent le petit chemin vers la ruine des ingénieurs, traversent la route et escaladent les marches de la digue. Simon le fait aussi.

La grand-mère tenait Claire par la main. Ils se sont rapprochés sur la digue.

La grand-mère dit toujours :

— On va réciter la prière à la mer.

C'est une femme religieuse. Elle va à la messe quand le prêtre la dit à Nantiat.

La nuit était claire. Une bonne brise un peu fraîche soufflait du large. La mer descendait. Le clair de lune scintillait sur les vases de l'estuaire qui semblaient palpiter comme de la chair. Le phare de Saint-Martin-de-Ré, là-bas au bout de l'océan, s'allumait et s'éteignait, s'allumait et s'éteignait.

— Il n'y a pas vraiment de vent, a dit le grand-père.

Ils sont redescendus. Jean-Jacques est allé fermer la porte de la petite véranda où ils avaient entassé la literie hors d'usage.

— Ça souffle un peu, a-t-il murmuré, le nez levé vers l'angle de la toiture.

Le vent râlait doucement contre la cornière d'angle avec des ronflements de moulin de papier. Le grand-père a esquissé un pas. C'est lui qui a installé la véranda. Et puis il a éteint.

La grand-mère sortait de la chambre des enfants en chemise de nuit. Il était onze heures. Ils étaient tout seuls au village du Génie. Les maisons des voisins étaient fermées. Du moins, c'est ce qu'il leur avait semblé. Ils n'avaient vu aucune lumière.

— Qu'est-ce que tu dis ? a demandé la grand-mère.

Il a froncé une seconde ses épais sourcils qu'il taille parce qu'ils poussent en buisson.

— On dirait que le vent se lève.

Elle s'est allongée.

— Je ne sais pas si on va bien dormir sur ce matelas neuf.

Elle s'est tournée sur le côté, puis sur le dos encore.

— C'est presque comme le nôtre.

Les grilles des radiateurs électriques cliquetaient. Ils avaient fermé toutes les portes, sauf celles du couloir entre la chambre des enfants et la leur. Elle a mis ses boules Quies parce que le grand-père ronfle et fait de l'apnée.

Ils dorment. C'est vrai qu'il ronfle. Il pioche comme un sapeur.

— Ma femme me donne des coups de pied quelquefois, parce que je l'embête, dit-il. Mais ça ne me dérange pas. Il faudrait un tremblement de terre pour m'arracher à mon premier sommeil. J'ai cette chance.

Guillaume hésite à tourner la poignée de la porte d'entrée. Il pleut fort maintenant. Si, en plus, c'est le déluge... Le vent siffle dans l'embrasure avec des aigus hystériques.

Vous connaissez la consigne : ne pas ouvrir les portes, ne pas bouger.

Il laisse retomber sa main.

Alexandra éclaire en passant, par la porte entrouverte, la chambre d'Amandine, ses draps bleus, le visage lisse de leur fille. Amandine dort toujours, malgré le vacarme qu'ils font. Tant mieux. Le poster de l'éléphant Elmer scotché sur sa porte résiste à l'humidité.

Alex éteint quand ils entrent dans leur chambre. La lampe de Guillaume suffit. Il vaut mieux économiser les piles. Elle prend ses vêtements sur le fauteuil, enfile culotte, jean par-dessus la chemise de nuit. Il soulève son pantalon ruisselant.

— Merde !

Elle en attrape un autre dans l'armoire, le lui jette par-dessus les draps. Décroche par la même occasion tous les vêtements de la penderie dont le bas risque de tremper. Elle voit les choses. Quelquefois mieux que Guillaume. Ça ne lui plaît pas.

— Tu vas trop vite, lui reproche-t-il. Prends le temps de réfléchir !

— Il y a des fois où il ne faut pas trop réfléchir.

— C'est comme ça qu'on fait des conneries.

— Et toi, tu n'en fais pas ?

Ça leur a valu des conflits, même avant qu'ils soient installés ensemble. Depuis, ils ont connu des épreuves. Et ils se demandent si leur alliage n'attire pas la foudre.

Il retourne les jambes de son pantalon pour ne pas le mouiller. Elle enfile un gros tricot de laine écossaise. Le ronflement du vent monte encore, comme si c'était possible. Ils sentent dans l'air quelque chose d'électrique, comme s'il suffisait d'une étincelle suffisait pour que les murs explosent.

Ils s'interrogent des yeux. Les ouvertures gémissent, à la limite de la rupture. Un objet métallique tinte. Les gouttières branlent.

Et elle voit, elle crie.

— La vague !

Une vague, en effet, déferle dans le couloir et se déroule dans la chambre.

— C'est la mer ! crie Alexandra.

— Ce n'est pas possible !

Ils ont d'un seul coup de l'eau jusqu'aux mollets, jusqu'aux genoux.

Si ce n'est pas la mer, c'est quoi ? Les bois du lit et le sommier baignent. Un livre flotte à la surface de l'eau.

Guillaume s'élance dans le couloir. Il ramasse les livres qui trempent sur les étagères de l'entrée, les dépose dégoulinants sur la table de la salle à manger. Alexandra apporte le carton des albums photo.

— Une maline, coefficient 109, vent de sud, c'est le pire du pire !

Il a crié ça, rouge de colère. La lampe éclaire par en dessous son menton carré, son nez fort, la brosse bleue de sa barbe de la veille. Une goutte d'eau sale lui noircit l'aile du nez. Il passe son poignet mouillé sur son front, respire fort, éclaire le canapé dans l'eau jusqu'à moitié, patauge jusqu'à la télé, débranche brutalement les fils et, d'un coup de reins, soulève l'appareil qu'il porte en titubant sur le buffet.

— Le téléphone !

Ils ne s'en sont pas rendu compte. Le portable d'Alexandra sonne sans doute depuis longtemps dans la chambre.

Elle voudrait courir. Ses pantoufles collent au carrelage. Elle sent des éclaboussures jusque sur ses fesses. Est-ce que la digue a cédé ? Est-ce que l'eau peut remonter à ce point à travers les vases ? L'eau gondole le poster d'Elmer sur la porte d'Amandine.

C'est en 1953, au Génie, alors qu'ils mangeaient leurs premières étrilles après avoir monté le marabout, que le père de Jean-Jacques a dit :

— Ce serait pas mal si on avait un carré de terre ici, pas bien grand, je pourrais construire un auvent...

Ils ont commencé comme ça. Ils allaient chercher l'eau, le matin, avec une filoche au puits du village des Caves. Jacques Montauran a parlé au paysan maigre et noir qui bêchait sa vigne au bord de la vieille digue de terre. Il lui avait déjà acheté quelques litres d'un vin rosé plein d'éther. Il n'y a même pas eu de marchandage. Ils sont tout de suite tombés d'accord.

L'année suivante, il est revenu avec son marteau, ses pointes, sa caisse à outils et il a cloué quelques planches à des piquets pour bricoler l'auvent. Il a ajusté les lattes d'un caillebotis sur le sol pour éviter de rentrer la saleté dans le marabout. À ce moment-là, la maison des ingénieurs avait encore de l'allure. Son toit ne s'était pas envolé. Son emplacement est idéal au milieu des huit kilomètres de la grande digue de pierre. De leurs bureaux, à l'étage, les directeurs pouvaient surveiller les travaux d'une extrémité à l'autre, il y a cent ans.

Le père a ajouté un côté à l'auvent. La mère a voulu une haie de tamarins qu'ils ont plantée en limite de leur parcelle, celle qui pousse encore aujourd'hui. Des voisins les ont imités. Ils avaient eux aussi acheté un bout de sable au vigneron qui ne demandait pas mieux.

Il a enfin ajusté sur l'auvent un toit de croûtes de

41

pin rapportées d'un voyage à Nantiat. Ce fut leur première cabane. Le père a adoré construire des cabanes. Il verrouillait la porte avec une chaîne et un cadenas.

Ils ne venaient pas autant qu'ils auraient voulu. Il y avait l'entreprise. Une année, ils ont même semé des fèves, au Génie. Elles poussaient partout dans le marais. À Nantiat, elles ne donnaient rien. Ils ont fait le voyage avec la 2CV fourgonnette du père, trois cents kilomètres pour les récolter. Ils partaient le samedi soir. Jean-Jacques était alors en apprentissage.

— C'est de la bonne fatigue, ça, disait son père en conduisant. Tout à l'heure on sera chez nous au bord de la mer.

Et ils se sont décidés à couler une chape de ciment, parce que la terre de la cabane ressuait. L'eau remontait. Tout était imprégné.

Jacques et Jean-Jacques ont roulé des pierres, ferraillé, brassé la colle, ne sont pas beaucoup allés à la pêche, cet été-là. Il avait dix-huit ans. Il était trop fatigué pour aller au bal à L'Aiguillon. Il y allait pourtant quand les voisins venaient le chercher.

Le village du Génie était devenu un vrai village de vacances. Les cabanes et les cabanons sans toit des cabinets qu'on déplaçait lorsque le trou était plein avaient fleuri. Tout le monde allait chez tout le monde. Les jeunes se baignaient ensemble. Les propriétaires s'étaient cotisés pour payer le nettoyage du vieux puits des ingénieurs et y installer une pompe.

L'année suivante, ils se sont fait livrer des parpaings. Le maire est venu en costume, cravate, chapeau, alors qu'ils coffraient le linteau de la porte.

— Vous savez que vous avez besoin d'un permis pour construire ?

— On améliore seulement la cabane. Ce ne sera pas difficile d'enlever nos rangs de parpaings s'ils ne vous plaisent pas. On voulait simplement monter quelque chose d'un peu confortable à côté des belles ruines de la maison des ingénieurs ! a répondu le père avec un éclair dans les yeux.

— Il ne s'agit pas de ça. Vous comprendrez que je ne peux pas laisser faire n'importe quoi dans la commune.

Le père a fini par descendre de son échelle en short et chemise bleue, les jambes blanches de poussière de ciment. Le maire a enlevé son chapeau. Ils se sont assis dans les fauteuils pliants du marabout.

— Je ne suis pas venu vous chercher des poux. Je vois que vous vous donnez du mal. Vous êtes artisan. Notre commune a besoin de gens comme vous. Mais vous imaginez bien que, si je ferme les yeux, vos voisins vont vous imiter. Vous allez passer à la mairie. On régularisera les choses. Vous remplirez des papiers...

— Si ce n'est que ça... a soupiré le père.

Il a fait signe à la mère d'apporter la bouteille et les verres.

— Vous êtes bien, ici, a dit le maire.

— La preuve. C'est qu'on aimerait quelque chose d'un peu plus solide. Le marabout fait comme son propriétaire, il s'use...

— Vous êtes menuisier.

— Ça se voit ?

— Je souhaite que vous soyez heureux chez nous avec vos enfants. J'ai été élu pour développer ce pays. Vous chassez ?

— Comment voulez-vous ? Je n'ai pas le temps.

— Ça grouille de canards pilets à la saison.

Ils ont trinqué entre gens raisonnables qui arrivent toujours à s'entendre.

Ainsi Jacques Montauran a obtenu son premier permis de construire. La cabane est devenue la maison du Génie.

La pièce unique du début fait office maintenant de salle à manger. D'autres s'y sont ajoutées de bric et de broc, au fil des ans, les chambres, trois, la salle de bains, les toilettes, la petite véranda. Mais le fruit de la « passion cabanière » de Jacques, qui l'a transmise à Jean-Jacques, n'est pas si mal réussi. La maison du Génie est devenue le point de ralliement de la tribu Montauran pendant tous les étés.

Le grand-père et la grand-mère y ont passé les huit jours de congés après leur mariage, en février 1963.

— Il n'y avait que la mer, le ciel, le marais et nous, dit Jean-Jacques, les yeux rêveurs. On se réveillait, on entendait les canards. On ouvrait la porte, les vanneaux attendaient sur le seuil. Les étoiles étaient comme de la glace. On aurait dû avoir froid...

La grand-mère hausse les épaules.

— Arrête de dire des bêtises.

— Pourquoi tu ne veux pas dire qu'on n'avait pas froid ?

— Arrête !

— On était amoureux.

— Allô ! Allô ?

Quand Alexandra a attrapé le portable sur la table de nuit, il avait fini de sonner.

— Allô ?

Le feulement du vent l'empêche d'entendre. Elle craint qu'il ne soit trop tard. Il lui semble pourtant percevoir un souffle.

— Allô, je vous entends mal. Allô ?

Elle crie, sort de la chambre. Le vent rabote tant contre la fenêtre et les volets... Elle se bouche l'oreille avec le doigt.

— Allô ? C'est toi, papa ?... Comment ?... Tu es à la pêche ?!!...

Elle a rejoint Guillaume qui a ouvert les portes des éléments de la cuisine et sort ce qu'il peut sauver.

— Tu étais à la pêche avec ton petit bateau ! La pêche à la civelle ?!!... Où ça ?... Près de Pont-du-Brault... Tu n'as pas entendu parler de l'alerte rouge ?...

Elle se tourne vers Guillaume qui soulève un tiroir dégoulinant et le pose sur la gazinière.

— Attends... je le dis à Guillaume... Il n'a jamais vu l'eau de la Sèvre aussi haute... Une vague l'a soulevé... Tu veux nous prévenir qu'on risque d'être inondés ? Ne t'inquiète pas, papa, on a de l'eau jusqu'aux genoux !... Comment ?... Comment ?... Je ne t'entends pas. Je ne t'entends plus !... Non, on ne peut pas quitter la maison... Tu as laissé ta voiture

45

près du pont ? Tu ne sais pas comment tu vas la retrouver... Tu veux qu'on prévienne Clémence ?... Je vais essayer, papa... Fais attention. Il y a sûrement des arbres sur la route... Allô ? Allô ?

Elle ne l'entend plus. Ils ont été coupés.

Elle pianote, en vain, pour le rappeler. Guillaume ouvre la porte des casseroles et des poêles. Du regard, elle lui dit, laisse, laisse-les dans l'eau, ce n'est pas la peine.

Elle voit son père, ses cheveux blancs épais, ses sourcils noirs, sa combinaison cirée, jaune, ses bottes. Il est fou, qu'est-ce qui lui a pris ? À la civelle par un temps pareil ! Depuis qu'il est à la retraite, il ne se passe pas de son uniforme de mytiliculteur. Il travaille encore sur le bateau des Norbert et dans leur parc des Amourettes, en coup de main. « C'est mieux, convient Clémence, que de faire le planton à longueur de jours avec les ivrognes de *La Belle Henriette.* »

Alexandra a travaillé avec lui deux étés à la trieuse de moules sur le bateau, à quinze et seize ans. Elle n'a pas aimé. Contrainte et forcée. Mais elle imagine ce que peut être pour lui le besoin de la mer.

Elle pense à sa mère. Pourquoi ? Cette femme qui lui a été brutalement arrachée, à douze ans.

Elle lui en a voulu, comme si c'était sa faute, de l'avoir abandonnée au moment où elle avait tellement besoin d'elle. Elle a tout fait pour l'oublier. À la différence de sa sœur, elle n'a pas accroché sa photo au mur de sa maison. Les photos de sa mère sont dans les albums qui ont trempé dans l'eau sale.

C'est peut-être pour ça qu'elle pense à elle. Elle sent à l'intérieur comme une déchirure.

Guillaume se bat avec le grand tiroir des condiments, des boîtes de curry, de paprika, de basilic, des pots de café, de miel, de confiture, des sachets de thé. Le tiroir, rempli d'eau, est lourd. Le fond va lâcher. Il passe son bras pour le soutenir. Le pot de confiture tombe, la boîte à sucre. Alexandra a un geste vague. La confiture, le sucre, je m'en fous.

— Tu n'arrives pas à l'avoir ? demande-t-il parce qu'elle essaie encore de rappeler son père.

Il la surprend à la lumière de sa lampe, immobile, dans l'eau jusqu'aux genoux, le visage tendu, le masque tragique. Alexandra est faite pour le tragique.

Les détonations contre le mur se répètent, violentes, brutales. Ils n'ont pas peur. Encore une fois, ils ne sont pas trouillards. C'est plus profond, plus animal, plus incontrôlable, quelque chose qui secoue chaque cellule qui s'avise qu'elle peut être broyée.

— Ce sont peut-être les bûches du tas de bois, dit-il. Il y en a des grosses, les billes qu'on n'a pas fendues.

— La Prée est sûrement recouverte.

— Pourquoi ?

— Si mon père a senti la vague près du Brault, la Prée est recouverte.

La Prée, les moutons, le chien.

— Je ne sais pas si j'appelle Clémence !

— Appelle les vieux Murail ! Ça va être dur pour les vieux. Il y en a beaucoup, dans le lotissement.

La trotteuse de la pendule électrique tourne

contre le mur. Après la pleine mer, l'eau monte encore pendant une bonne vingtaine de minutes. Le baromètre est toujours aussi bas. Alexandra a de l'eau maintenant au-dessus du genou. Si ça continue, l'eau va monter sur la table.

Ça pue. C'est cette eau qui pue.

Le journal des programmes télé flotte à la surface.

— Maman !

— Amandine !

Elle est réveillée. Alexandra se précipite.

3.

« Celui qui aime a déjà franchi la mort », *chante la chorale.*

La pendule de la cathédrale sonne trois heures.

On ne les entend pas mais les clochers des églises de toutes les paroisses de Vendée se sont mis à sonner le glas. Des confins du bocage aux extrémités de la plaine, les cloches se sont mises en branle. Dans les marais du nord et dans les îles. Elles se répondent, rappellent la catastrophe, disent le malheur, le deuil, s'associent aux larmes. Elles appellent au recueillement.

L'évêque encense l'autel. Cent prêtres du diocèse l'entourent en aubes blanches et ornements dans le chœur. La fumée de l'encens monte. Il commence la cérémonie au nom du Père, du Fils et du Saint-Esprit.

Des fidèles chantent. Pas tous, bien sûr. Il y a ceux qui ne peuvent pas, que la douleur et le désespoir étranglent, dont le cri s'étouffe au fond de la gorge.

Il y a ceux qui ne veulent pas, qui ne comprennent pas qu'on puisse. Qui trouvent même que chanter, en présence des morts, est une indécence.

Ceux qui n'arrivent pas à s'arracher aux scènes de la nuit terrible, que hantent les images et les cris.

Mais les hautes colonnes de la cathédrale résonnent tout de même. On n'aurait pas imaginé ça, à voir la douleur des visages, à l'entrée.

Ils chantent ensemble, s'entraînent à l'intérieur de la nef. À l'extérieur, ils osent moins. Ils sont dehors. Il fait plus frais. Ils se regardent. Quelques-uns pourtant, qui s'entraînent aussi, formant des îlots. Des vieux, des jeunes. Beaucoup de jeunes. Des filles.

Le président du Secours catholique et le colonel des pompiers entrent dans le chœur avec leur cierge pour prendre la flamme au gros cierge pascal. Ils allument alors un à un tous les cierges qui symbolisent les victimes et forment un arbre de lumière.

Ils transmettent ensuite la flamme aux familles qui s'avancent avec des lumignons qu'elles posent sur les cercueils. C'est peut-être une erreur, une illusion. On dirait que ces gens se tiennent plus droit. La vieille femme qui ne pouvait pas marcher toute seule regagne sa place sans être soutenue. L'homme qui ne quittait pas des yeux les dalles de granit lève le regard.

— Moi, je n'aurais pas voulu de la cérémonie. Je n'aimerais pas me donner en spectacle comme ça.

— Qu'est-ce que tu en sais ? Ils ne le font pas pour eux. Ils auraient sans doute préféré eux aussi se passer de tout ce monde et de ces caméras. S'ils n'avaient pas accepté, il n'y aurait rien.

— Et alors ?

— Ils doivent avoir la foi. C'est sûrement parce qu'ils ont la foi qu'ils ont accepté.

— Est-ce que Michèle, Gilles et Agathe ont eu la foi lorsque la mer s'est mise à monter ?

Julie est réfugiée dans son cocon douillet. Elle a glissé ses mains entre ses jambes, remonté ses genoux. Elle refuse ce qui se passe autour d'elle.

Le réel ne l'atteint pas. Elle est hors d'elle, sortie de son corps. La chimie de la petite pilule bleue a cette magie de la déconnecter de ses sens et de l'évader d'elle-même.

Elle savoure la léthargie de son état larvaire, dort, n'entend rien, ne sent rien, rêve.

Elle boit de la bière noire. Elle a mis un pull blanc torsadé. Elle prend un peu de whiskey au verre de son voisin qu'elle verse dans sa Guiness. Le pub déborde de fumée. Elle joue du violon, les yeux fermés et, à côté, la voix qu'elle a aimée dès le premier jour, âpre et chaude comme un feu de tourbe, accompagne en chanson les mouvements de son archet.

Le réel est si loin. C'est comme l'écho d'un monde lointain, une illusion, une rumeur sourde, improbable, qui lui est étrangère. De toute façon, si elle se réveillait, aurait-elle la force, l'influx d'agir ?

C'est la conjonction d'un gros coefficient de marée, de la dépression profonde et du vent violent qui est la cause de la catastrophe. Ces trois éléments ont pris le temps de réunir leurs forces et c'est ainsi qu'ils ont trompé tout le monde. À une heure du matin encore, quand Julie se couchait, son amie Camille avait raison, il n'y avait rien, ou presque. La nuit sur la mer était plus profonde que le jour. Le vent qui montait avec la marée chassait les nuages avec une ardeur raisonnable. Et parmi les laitances de la lune, très loin, là-haut, à des années-lumière, les étoiles brasillaient. La lumière pleuvait sur les ondulations, comme un labour, de la mer. Les vagues ourlaient leurs crêtes d'écume, scintillaient sur le plat dans le noir, et s'éteignaient.

C'était une nuit d'hiver splendide sur la côte, grondante des ardeurs de la grande marée, un ruissellement habituel du flot qui apporte la vie aux coquillages des bouchots et se gonfle de poissons.

Ils auraient dû se méfier de la douceur de l'air.

C'est ce qu'a dit le père d'Alexandra au téléphone. « Il faisait bon. C'était presque trop beau pour un mois de février. Je ne pouvais pas rester dans mon lit. Je suis parti à la civelle. » C'est ce qu'a constaté Guillaume en réparant la tôle de son hangar sur son échelle.

Ils auraient dû...

Est-ce qu'ils pouvaient imaginer ? Le dernier ouragan tueur de digues remonte à 1940. Et encore il n'avait fait que des dégâts matériels. Les vieux de L'Aiguillon se rappellent la mère Rossignol montée sur sa table avec sa boîte à sucre et ses sous dedans.

Les hommes ont la mémoire courte. Ils élèvent

des murs contre la mer. Ils sont comme des enfants avec leurs épées de bois. Ils ont toujours cru avoir trouvé la formule pour gouverner la nature.

Le vent a donné le premier signal. Il arrivait de loin. Parti des côtes du Portugal, il avait aiguisé ses crocs sur les dents de chien de la Meseta de Castille et de la Navarre. Quand il s'est heurté aux Pyrénées, il s'est mis en furie. Il les a franchies d'un bond. Il avait déjà un nom de tempête que tout le monde ignorait, Xynthia.

Xynthia a pris la diagonale française, sud-ouest nord-est, et s'est précipitée sur les plaines allemandes.

Normalement les côtes charentaise et vendéenne n'auraient pas dû souffrir tant que ça de son passage. Beaucoup d'autres vents ont soufflé avec plus de violence sans qu'on en parle. Mais c'était une grande marée, la mer montait. Et, surtout, quand Xynthia est arrivée à la hauteur de l'île de Ré, Charron, La Faute, L'Aiguillon, la pression atmosphérique était au plus bas. Alors le fauve a poussé son rugissement.

Le ciel s'est chargé tout d'un coup. Les nuages ont caché les étoiles et la lune. La pluie a crépité et on ne savait pas si c'était la pluie qui tombait ou le sable arraché aux dunes qui volait.

La mer s'est soulevée en grondant dans la nuit.

Elle a gonflé ses vagues, a puisé son eau dans ses fosses sous-marines. Elle caressait jusque-là les dunes de sable blond où ses vagues venaient mourir. Elle s'est lancée, haute et droite comme une falaise, s'est effondrée sur elles avec un grondement de tonnerre. La dune a tremblé à chaque déflagration. La mer est repartie et, avec une ardeur décuplée, elle est allée chercher encore plus d'eau au fond de ses entrailles. Elle s'est élancée, a dressé une vague plus monstrueuse encore.

Le vent l'accompagnait avec ses hurlements féroces.

Il s'est rué sur le sable qu'il a balayé en sifflant, a déraciné mousses, lichens, oyats et tamarins. Et les dunes ébranlées ont commencé à se mettre en mouvement.

Partout, à Ré, Charron, Port-des-Barques, La Fumée, L'Aiguillon, La Faute, la mer a lancé ses falaises contre les digues. Elle a écroulé avec une ardeur cruelle ses montagnes liquides contre les murs de pierre et de béton, fait éclater ses bombes dans les points faibles des joints et des fissures. Et la pierre a volé.

Elle est revenue, encore et encore. Elle a soulevé des blocs avec une force terrible et elle s'est engouffrée dans les brèches avec des râles de fureur joyeuse.

À la Pointe surtout, les dunes n'ont pas résisté. Les premières, elles se sont mises à reculer. Elles ont dégringolé vers la route, l'ont traversée, soulevant son bitume et l'emportant avec elles. Elles ont dévalé dans le contrebas où se niche la maison de Julie. Elles se sont heurtées à ses murs et, lentement, les unes par-dessus les autres, ont commencé à l'ensevelir.

Julie dort dans son vieux cardigan et son pantalon de pyjama rose à bouclettes. Elle a entendu la chatte jaune bondir sur la poignée pour ouvrir la porte de la chambre lorsque l'eau a commencé de ruisseler dans la maison.

Maurweenatte, disait Bobby quand la chatte venait

les retrouver au lit. Elle a senti son poids lorsqu'elle a sauté sur ses jambes. Mais elle a l'habitude. Elle a bougé, s'est tournée dans le lit.

Elle entend les hurlements de la tempête. C'est bien comme le vrombissement d'un avion. C'est aussi insupportable et assourdissant que si un avion était en position stationnaire au-dessus de la maison, les réacteurs à fond. Elle a pris l'avion une fois pour une traversée de l'océan. C'était avant ses ennuis. La Guadeloupe, Gosier. Ils ont volé dans un petit bimoteur jusqu'à La Dominique. L'aéroport de Roseau, à flanc de montagne, au ras de la mer. La piste est si courte qu'au décollage le pilote pousse les gaz au maximum, freins bloqués. Lorsque les moteurs sont à fond, il lâche les freins. L'avion décolle comme une fusée, propulsé au-dessus de la montagne et de la mer. Elle a adoré se retrouver là-haut entre le bleu du ciel et celui de la mer. Elle a dit dans l'avion :

— J'aimerais que ça dure tout le temps.
— Quoi donc ?
— Voler.

Elle s'est nourrie de bière noire pendant quelques semaines à Castlebar pour planer. Elle entrait dans les pubs. Elle n'était même plus capable de jouer du violon. C'est comme ça qu'ils l'ont jetée.

Elle bouge encore. Marinette l'embête.

La chatte dresse la tête et écoute le gargouillis de l'eau qui entre dans la maison et jaillit comme d'une fosse souterraine. Elle sent l'air. Cet air a une odeur. Elle marche sur le lit et se penche pour savoir d'où proviennent ces glouglous réguliers. Ses yeux verts scrutent le noir.

— N'aie pas peur, Amandine chérie. C'est le vent.

Alexandra serre sa fille dans ses bras. Les pieds de la fillette touchent l'eau. Elle les relève en criant.

— Oui, il y a de l'eau. Elle va partir.

Alexandra la met debout sur le matelas. Le lit d'Amandine est un vieux lit de coin à rouleaux, récupéré dans une brocante. Il est haut. L'eau meurt quand même au ras du sommier.

— Je t'habille vite, chérie, dit Alexandra en démêlant les cheveux noués de sa fille avec ses doigts.

— Pourquoi y a pas de lumière ?

— Elle est coupée. On a les lampes électriques.

Amandine tourne des yeux horrifiés vers les miroitements autour de son lit et ses parents enfoncés dans l'eau jusqu'à mi-cuisse.

— Tiens-la, demande Alexandra à Guillaume.

Elle a cinq ans. Elle est grande pour son âge, brune comme sa mère, la peau mate. Ses vêtements sur le dossier de la chaise sont mouillés. Alexandra attrape dans l'armoire ce qu'elle trouve, pantalon, pull.

— Doudou rouge, maman ! Doudou rouge !

Le doudou d'Amandine gît sur le carrelage, au fond de l'eau.

— Calme-toi.

Alexandra lui enfile des chaussettes. Amandine crie et piétine comme si elle marchait sur le feu.

— C'est mouillé ! Mes pieds se mouillent !

Ses chaussettes sont déjà mouillées. Le matelas imbibé transpire sous ses pieds.

— Donne-moi des chaussures, crie Alexandra à Guillaume. N'importe lesquelles. Là, dans le tiroir.

Celles que portait Amandine la veille sont sous le lit. Sa petite chaise en plastique bleu flotte.

— Mes poupées !

Elles sont alignées contre le mur, sous l'eau. Alexandra remonte la fermeture Éclair de la parka d'Amandine jusque sous sa gorge.

— Doudou blanc ! pleurniche la petite.

Il a été épargné. Il dormait avec elle.

— Je vais la porter, dit Guillaume.

Il la soulève très haut. Alexandra récupère le doudou rouge sur le carrelage avec son pied, le tord pour l'essorer.

— On va se mettre sur la commode !

— Je veux maman !

— On sera bien.

La commode n'est pas une commode mais un meuble ventru en cerisier fabriqué par un menuisier du marais. Alexandra en a hérité de sa mère lorsque son père a déménagé chez Clémence. Le menuisier n'a pas regardé au bois. Pourvu de quatre tiroirs sans un clou, entièrement chevillé.

Guillaume renverse les photos et les bibelots exposés dessus et y installe Amandine.

— Là, tu ne te mouilleras pas.

La petite ne lâche pas son père et s'accroche en hurlant.

— Je vais monter avec toi, dit Alexandra.

Elle se sert d'un tiroir comme d'un marchepied, s'assoit à côté d'elle.

— Mandi !... Calme-toi ! Calme-toi !

Les cris d'effroi s'apaisent. Elle pleure contre sa mère. Alex fait signe à Guillaume.

— Il y a de la place pour **toi**.

Amandine tremble.

— Calme-toi, chérie...

Les tremblements de sa fille se communiquent à elle. Elle lutte mais c'est plus fort qu'elle. Elle le sent dans ses bras, ses mains, ses jambes.

— C'est l'eau froide ! dit-elle. C'est nerveux !

Et puis :

— Viens...

Il monte à son tour. La grande glace, dans leur dos, les gêne. Il passe son bras autour des épaules de sa femme, de sa fille. Sa chaleur, ses grosses mains rassurent Alexandra, Amandine.

— Ça va aller ?

Elle essuie les yeux, le nez d'Amandine avec son mouchoir. La petite se tait. Quand elle boude ou quand elle pleure, une ride verticale se creuse à la racine de son nez comme autrefois chez la mère d'Alexandra.

— Mets-toi debout, suggère Guillaume, tu n'auras pas les jambes dans l'eau.

Amandine pousse des petits cris aux efforts de sa mère qui s'appuie sur Guillaume pour se relever. La nuque d'Alexandra aussi grande que Guillaume touche le plafond.

— Il faudrait des bougies, dit-il. Si nos lampes ne tiennent pas...

— Il y en a dans le tiroir de la cuisine.

— Je voudrais appeler les voisins.

Alexandra lui donne le portable. On dirait une accalmie. C'est peut-être qu'ils s'habituent. Ça ronfle toujours contre l'embrasure et ça secoue les persiennes.

— Allô ? Allô ? Madame Murail ? Marianne ?

La barbe lui mange les joues jusque sous les yeux. Ses premiers cheveux blancs sont apparus à Lounesse. Un épi aussi dans la broussaille des sourcils. Il appuie le bouton du chorus pour qu'Alexandra entende.

— Madame Murail, c'est Guillaume.

— On est dans l'aquarium...

— Comment ? Où êtes-vous ?

— Sur notre lit, mais il est plein d'eau.

— Et votre mari ?

— Il est dans la cuisine. Il veut que nous montions sur la table. Je ne peux plus marcher...

— Appelez-le, je voudrais lui parler.

— Je ne sais pas s'il va m'entendre.

Elle se met à pleurer, n'appelle pas.

— Vous m'entendez ? Vous m'entendez ?

Elle sanglote. Elle s'étouffe.

— Madame Murail, écoutez-moi ! Dites à Robert que je vais le rappeler ou qu'il me rappelle quand il sera revenu...

Pas de réponse. Ils ne l'entendent plus. Il n'y a plus que les heurts contre les murs, les sifflements du vent, le tremblement des persiennes.

— Je vais chercher les bougies !

Alexandra a un geste qui veut dire : est-ce que c'est bien utile ? Ou : ne t'éloigne pas ! Elle incline la tête, là-haut sous le plafond, sa fille accrochée à son cou.

— Je reviens.

Il descend dans l'eau. Elle lui arrive au fond du pantalon et ses jambes sont longues. Elle a encore monté.

Alexandra allume sa lampe parce que Amandine se crispe à mesure que son père s'éloigne. Elles entendent un grand bruit, un craquement sinistre, une succession de flocs. Amandine hurle, un cillement aigu, strident, qui monte du ventre. Guillaume crie dans le couloir :

— Ce n'est rien ! Ce n'est rien !

Il accourt, l'eau jusqu'à la taille.

— C'est la bibliothèque qui s'est décrochée de la cloison !

Il a la boîte de bougies dans la main, sous le bras le pain qui était sur la table et un rouleau noir de sacs-poubelle. Un livre flotte derrière lui.

— C'est fini ! C'est fini ! dit Alexandra à Amandine.

Il s'assied sur la commode où l'eau affleure désormais. Alexandra s'accroupit, la petite sur ses genoux.

Cette fois, Guillaume est pâle. Il halète. Il a de l'eau sur la figure ou il transpire ? Qu'est-ce qu'on fait ? l'interroge Alexandra des yeux.

Il arrache une bouchée de pain qu'il enfourne.

— Papy ! Mamy ! appelle Jérémie dans sa chambre de la maison du Génie.

Ce petit garçon est étonnant. Rien ne le

surprend. Tout l'intéresse. Il découvre, apprend. Même ce qui n'est pas agréable à apprendre.

— Papy ! Mamy ! Il y a de l'eau dans notre lit !

Ses grands-parents ne l'entendent pas.

Il recommence, ne s'affole pas. Sa voix est encore enrouée de sommeil comme s'il avait un chat dans la gorge.

— Papy ! Mamy !

— Qu'est-ce qu'y a ?

— Il y a de l'eau dans notre lit.

— Hein ?

Le grand-père sursaute, s'assied dans le lit, entend le grondement de la tempête, presse le bouton de la lampe de chevet. Il n'y a pas de lumière. Un frisson d'effroi comme une décharge électrique le traverse.

— J'arrive !

Marie se réveille à côté de lui, ôte ses boules Quies.

— Qu'est-ce qui se passe ?

Il descend du lit, son cœur cogne au contact de l'eau glacée. Ça l'étouffe, le serre dans un étau. Il s'arrête pour reprendre haleine.

— Jérémie vient de m'appeler. La maison est inondée.

Il glisse sur le lino humide, se raccroche au bois du lit.

— Allume !

— Y a pas de lumière ! Reste couchée !

Il a la voix rauque.

— Ne bouge pas !... Je reviens avec les petits.

— Tu vas y arriver tout seul ?

Il entre dans la chambre, s'efforce de garder un

61

ton ordinaire malgré le froid de l'eau. Il est nu dans sa chemise.

— Votre chambre est plus basse que la nôtre. C'est pour ça que vous avez de l'eau dans votre lit. Le nôtre est sec. Vous allez venir avec nous.

Il tâtonne dans le noir. Les deux petits sont réfugiés sur le traversin à la tête du lit. Claire se cramponne à son grand frère.

Il passe le bras autour des deux enfants.

— Tiens bien Jérémie, Claire !

Il a encore de la force. Il est un menuisier, même s'il a vieilli.

— Ne criez pas. Restez accrochés comme ça. Je vais vous emporter tous les deux en même temps.

Les deux petits se blottissent.

— On y va ?

Il est incliné sur le lit qui baigne. Sa poitrine se mouille.

Il prend son élan, son souffle, donne le coup de reins. La douleur lui cisaille le bas du dos. Il souffre des reins. Autrefois, il soulevait des madriers énormes. C'est peut-être à cause de ça qu'il a aujourd'hui le dos fragile.

— Ouh ! là ! Vous êtes lourds ! On va y arriver. Il n'y a pas long.

Claire est aussi lourde que son grand frère. Elle a deux ans de moins. Il est menu. Jean-Jacques tâte du pied pour trouver dans le couloir les marches entre les deux chambres. La douleur lui vrille encore le dos. Ils ont suivi la pente du terrain quand ils ont construit et ont ajouté ces marches.

— Y a moins d'eau chez nous. Ça va aller.

— Qu'est-ce que c'est, papy ? La mer ?

— Je ne sais pas. C'est la tempête.

— Il y a du vent, dit Claire, rassurée dans les bras de son grand-père.

— Oui, du vent.

— Y a pas de lumière ?

— Non.

— Elle va revenir ?

— Sûrement.

— On ne va pas se noyer ? demande Jérémie.

— Qu'est-ce que tu racontes !

— Qu'est-ce qu'il dit ? s'écrie la grand-mère.

Jean-Jacques dépose les deux enfants sur le lit. Marie les palpe.

— Ils sont mouillés !

— Bien sûr, ils sont mouillés !

— Déshabillez-vous, vite, et mettez-vous au chaud dans le lit.

— Tout nus ?

— Oui, tout nus.

Jean-Jacques aide Marie à les déshabiller.

— Va chercher leurs vêtements, commande-t-elle.

— Où ?

— Dans la chambre.

— J'espère qu'ils ne sont pas mouillés.

Il est sûr qu'ils sont mouillés. Il va fouiller dans la poche de son pantalon trempé, y prend son briquet, son couteau. Il a cessé de fumer depuis longtemps mais il a toujours, depuis son apprentissage, ces deux outils qui finissent par trouer ses poches. Une crampe lui raidit la jambe. Il continue de marcher, frotte son briquet dans la chambre des enfants. De voir les vêtements des petits dans l'eau sur la chaise ne le surprend pas. Mais de découvrir l'eau, à hauteur de l'appui de fenêtre, lui fait courir un nouveau frisson. Il éteint le briquet.

Un matelas tout neuf !

— Comment je fais ? s'écrie la grand-mère. Ils n'ont rien d'autre. Allume ton briquet !

C'est ce qu'il aurait préféré éviter. Il est persuadé que Marie n'a pas mesuré l'ampleur du désastre. La flamme monte, tremble. Sa lumière irise la surface de l'eau qui clapote.

— Oh ! Mon Dieu !

Elle serre ses deux petits. Il relève le pouce.

— Je ne peux pas gaspiller le gaz.

— Va dans la salle de bains prendre les serviettes de toilette, je vais les envelopper dedans !

Elles sont suspendues à la patère de la porte. Elles, au moins, ne sont pas mouillées. Il les apporte. Il est surpris de résister au froid. Il s'habitue. Il n'est plus jeune. Soixante-treize ans, comme Marie, des produits d'avant-guerre. Jérémie et Claire sont les enfants de Simon, qui a surpris ses parents en choisissant de revenir à l'entreprise familiale après des études aux Arts et Métiers.

La crampe dans la jambe s'est évanouie. Il ne sent plus le mal au dos. Il est petit, pas gros. Il prétend être une mauvaise bête, qui ne profite pas de ce qu'elle mange. Mais il a des muscles encore et des nerfs.

— J'ai envie d'aller chercher la lampe dans le fourgon.

— Non ! crie Marie.

— Pourquoi ?

— Tu te prends pour qui ? Tu veux te faire emporter ?

— Tu restes avec nous, papy, dit Jérémie.

— Tu restes avec nous, répète Claire.

— Où je me mets ? Je suis tout mouillé.

— Tu fais comme Jérémie et Claire. Essuie-toi avec les couvertures et mets-toi au lit. Tu dois être gelé.

— Je veux monter le petit four de la cuisine sur le buffet.

— On s'en fout du four de la cuisine...

Il y a du désespoir et de la colère dans la voix de la grand-mère. Claire se met à pleurer. Il s'essuie dans le noir. Il a pris son pull de laine sur le dossier de la chaise et l'enfile sur sa peau nue.

— Tu as froid, papy ? murmure Jérémie.

— Ça ira quand je serai dans le lit. Et toi ?

— Mamy est toute chaude.

— Oui, elle est toute chaude, répète Claire avec un sanglot.

— Je rentre dans les draps, ne me touchez pas, je suis encore tout froid !

Alors qu'il se réchauffe un peu, la douleur revient, dans sa jambe, son dos. Il active sa jambe.

Un grondement sourd comme après une explosion ou un tremblement de terre secoue le mur de la maison. Les portes et les cloisons vibrent.

— La véranda ! C'est la véranda !

Il a juste le temps de dire ça. L'eau déferle dans la chambre, ruisselle sur le lit, le submerge. Marie et les enfants crient.

Le grand-père empoigne Jérémie. La vague

hésite comme si elle refluait. Il attend le choc de la seconde vague, qui ne vient pas.

Ils se sont reculés, debout, à la tête du lit, haletants, trempés.

— Ne bougez pas ! Ne bougez pas ! On est tous là ?

Personne ne répond.

— Tu as Claire avec toi ?

— Oui.

Il frotte le briquet.

— Le mieux, c'est de se préparer à monter sur le toit, dit Guillaume.

— Pas sur le toit ! pleurniche Amandine.

— Ton père avait raison, Alexandra, elle vient par vagues. La pointe d'Arçay a dû céder d'abord et puis la mer a passé par-dessus les digues...

Il déroule un sac-poubelle, y jette les bougies, le pain, ouvre l'armoire, attrape des pantalons secs, des pulls, sur l'étagère de la penderie.

— Double les sacs, souffle Alexandra, c'est plus sûr.

Elle presse les touches de son portable, écoute, recommence.

— Tais-toi, chérie, dit-elle à sa fille qui est lourde à son cou et gémit.

— Je ne veux pas aller sur le toit, maman !

— Tu seras avec nous.

L'eau mouille maintenant les chevilles d'Alexandra sur la commode. Elle arrive vite, par petites lames qui rentrent dans la chambre et ne se retirent pas.

— Le 18, c'est le numéro des pompiers ?

— Oui.

— Je n'ai rien, même pas de sonnerie.

— Appelle Philippe.

C'est à Philippe et Martine, sa femme, qu'Alexandra et Guillaume louent la maison du lotissement. Ils ont été de la même bande de joyeux fêtards qui tournaient dans les bals et les boîtes de la région et buvaient comme le sable jusqu'au petit jour. Philippe a pris la succession de son père et habite près de son parc et de ses bassins d'ostréiculteur et mytiliculteur pas loin, vers la pointe d'Arçay. Quand Guillaume et Alex sont revenus au pays, Philippe leur a proposé, à pas cher, la maison qu'il a fait construire dans le lotissement pour des locations aux touristes.

— Allô, Martine ? C'est Alex... C'est... comment chez vous ?

— Le chorus ! réclame Guillaume.

— On s'est réfugiés dans la chambre de Joséphine à l'étage. Et vous ?

— Je suis sur la commode, dans notre chambre.

La voix de Martine leur arrive étonnamment claire et douce. Elle leur fait du bien.

— Philippe pense que ça va continuer de monter jusqu'à la marée haute. L'eau a dépassé la moitié de l'escalier depuis la vague.

— Il a raison ! crie Guillaume.

— Je suis redescendu repêcher la chienne dans le garage, crie Philippe à son tour. Je l'ai eue par la peau du cou. On doit avoir plus d'eau que vous. On est plus près de la mer.

— Peut-être.

— Il y a une trappe dans votre garage qui mène aux combles. Prenez-la.

— Je n'arrive pas à joindre les pompiers.

— Avec le portable, il faut faire le 112, dit Martine. Le poste doit être saturé.

— Prends soin de tes femmes ! crie Philippe.

— Oui, Philibert.

Philibert. Guillaume pratique depuis l'école cette contraction familière de Philippe Lambert. Un matin, après bal, chez les parents de Philippe, ils se sont retrouvés à huit, Martine et Alexandra étaient là. Philibert a rempli d'eau-de-vie les six verres pour les garçons. Lequel a défié les autres de vider les six à la file, en un temps record ? Les filles ont crié. Les gars ne se sont pas dégonflés. Ce qui est sûr, c'est que, ensuite, Guillaume s'est mis à quatre pattes et qu'il a mordu le chien de Philibert sous la table.

4.

On dirait que le soleil veut percer le ciel de Luçon. Le gris devient plus blanc, la couverture plus légère.

Mais ce n'est pas mieux. On voit moins bien les images sur l'écran.

Marie-Pierre R. monte au micro pour la lecture. Elle a la foi. Ça se sait. Elle va le dimanche à l'église de L'Aiguillon.

Elle est connue dans le pays. Sa famille a galopé sur les terres des autres et les communaux pour donner à paître à ses moutons sur les vieilles luzernes. Avec son mari, ils ont loué des terres et ont réussi à s'en sortir. Ils ont fait construire une petite maison blanche avec une terrasse rose et un barbecue dans le lotissement. C'était la fierté de leur vie, leur réussite. Ils y ont travaillé à planter des haies, des fleurs, des bulbes. Toujours en mouvement, ils ne s'arrêtaient pas. Ils n'en avaient pas l'habitude.

Ils ont été aux premières loges, rue des Misottes. Les pompiers les ont hélitreuillés.

Ils font partie de ceux qui ont tout perdu. Le mari de Marie-Pierre a oublié leur lampe à pétrole allumée sur la lourde table de ferme de leur salle à manger lorsqu'ils se sont réfugiés sur le toit. La table a flotté comme un bateau.

La lampe a monté avec elle. Le verre de lampe a touché la poutre du plafond et le bois chauffé a commencé à noircir. « Un peu plus, disent-ils, en montrant le rond noir sur la poutre, nous aurions brûlé au milieu de l'eau ! »

Ils ne se plaignent pas. Le mari pleure. Il dit : « Sans savoir pourquoi ».

Elle a aidé les secouristes à organiser la distribution, le lundi, quand la nourriture, les vêtements, les chaussures ont débarqué à pleins coffres des donateurs de partout dans la salle omnisports.

— C'est ce qui me soigne ! dit-elle. Ça m'empêche de penser à moi.

On sait qu'elle est un caractère. Elle a des nerfs. Certains disent qu'à un moment ou à un autre elle finira bien par craquer...

On reconnaît la femme du pays, plutôt petite. Elle ramène le micro à sa hauteur, annonce la lecture du Livre des Lamentations.

Elle lit posément, en articulant bien, avec une légère pointe d'accent maraîchin. Elle n'est allée à l'école que jusqu'à quatorze ans et maintenant elle lit en présence du Premier ministre.

« J'ai oublié le bonheur. La paix a déserté mon âme... »

Ses yeux brillent. On dirait qu'elle a du mal, qu'elle se force. Mais c'est peut-être l'image.

« Revenir sur la misère où je m'égare, c'est de l'amertume et du poison... »

Elle était à moitié nue au bout du treuil de l'hélicoptère dans l'aube violette de dimanche matin.

« Mais voici que je rappelle en mon cœur ce qui fait mon espérance... »

Elle lira jusqu'au bout. Sa voix s'est raffermie. Elle a la foi.

Elle termine par « C'est une bonne chose d'attendre en silence le secours du Seigneur ».

Elle se tourne vers l'autel, s'incline face aux cent prêtres autour de leur évêque.

Elle porte une parka vert olive pas très belle, un pantalon de flanelle gris, des vêtements qui l'engoncent. Ils ne sont pas à elle. Ça se voit. Elle les a reçus avec les autres dans la salle omnisports.

Elle chaloupe un peu en s'efforçant pourtant de se tenir droite lorsqu'elle passe près des cercueils et de l'arbre de lumière. Elle a l'allure un peu voûtée de la petite bergère qui arpentait le marais en s'abritant sous son grand parapluie bleu plus lourd qu'elle.

Marinette saute sur l'épaule de Julie qui dort. Elle a assez miaulé, gémi, feulé, frémi du ventre, tourné sur le lit, en vain. Elle rentre ses griffes à travers le sweat, le tee-shirt et, sans hésitation, les enfonce dans la chair de Julie qui se réveille en sursaut.

— Qu'est-ce qui te prend ? Tu es folle !

La chatte lui fait affreusement mal. Mais elle ne lâche pas, miaulant, furieuse, griffes plantées, poil dressé.

— Tu es malade ! Tu me fais mal ! Marinette ! Arrête !

Julie se débat pour la décramponner. Son bras glisse hors du lit. Elle le retire, l'enfonce encore. Il est mouillé. Elle a compris. Elle cesse de lutter avec Marinette. La chatte cesse aussi.

Julie essaie d'allumer. Il n'y a pas de lumière. Elle entend alors les hurlements de la tempête.

Elle s'assied dans son lit, écoute.

Les brouillards du somnifère l'enveloppent encore. Elle est légèrement écœurée. Elle a envie de se rallonger. Quand elle ferme les yeux, elle se sent vaciller. Elle pense qu'elle est toute seule. Elle n'a de compte à rendre à personne.

Elle sent le poids de Marinette contre son épaule. La chatte s'agrippe à son sweat pour se hisser plus haut. Julie l'aide.

— Tu as dû me faire de belles balafres !

Le somnifère endort ses réflexes et les détourne. Elle embrasse la tête de Marinette qui ronronne.

— Qu'est-ce que tu veux ? Qu'est-ce que tu crois qu'on doit faire ?

Elle tâtonne vers le pied de son lit où elle a jeté son écharpe verte, fait un premier tour autour de son cou, un second plus large où elle installe Marinette comme un paquet.

— Tu es bien comme ça ?

Le vent siffle contre la fenêtre. Les volets craquent sous la pression. Elle descend dans l'eau.

— Ah !... Tu t'en fous qu'elle soit glacée !

Elle patauge jusqu'à la chaise, trouve sa veste de jogging, remonte la fermeture Éclair en la laissant assez ouverte pour Marinette. Elle pense à son violon, se demande si elle peut l'emporter aussi. Ce n'est pas possible. Elle embrasse entre les deux oreilles la tête dressée de Marinette contre sa poitrine.

— Accroche-toi. On y va.

Elle a à peine tourné la clé et appuyé sur la poignée, la porte s'ouvre toute seule. Le vent s'engouffre, l'eau déferle, le sable ruisselle sur ses pieds et la repousse à l'intérieur. Elle recule, frappée par la vague qui entre.

Elle suffoque, lutte. Le sable l'enlise.

Elle se bat pour sortir, de l'eau à la poitrine. Elle

piétine le monticule de sable de la dune qui s'est amassé devant la maison et a commencé à l'ensevelir.

Elle est dehors. Elle croit entendre le mugissement de la mer. La nuit est noire comme l'enfer. Elle ne sait pas s'il pleut ou si c'est de l'écume qui se colle sur sa figure.

Ses pieds s'enfoncent. Elle se demande si elle ne s'est pas trompée de direction. Il faudrait qu'elle trouve les poteaux électriques. Elle serait sûre d'être sur la route.

Elle a l'impression de ne pas avancer. L'eau lui arrive à la taille. Parfois elle s'enfonce dans un trou. Elle a de l'eau jusqu'au cou. Aussitôt elle nage. Au collège, elle était bonne nageuse.

La tempête, l'eau, la pluie l'ont lavée des derniers restes de sommeil et elle se sent lucide, presque euphorique.

Je suis shootée à la tempête !

Elle ne sait pas ce que devient Marinette, croit qu'elle résiste. Elle la sent tendue comme un arc, agrippée de toutes ses pattes à son écharpe.

Puis c'est le grondement énorme d'une grosse vague. Le sable frémit sous ses pieds. Elle cherche désespérément dans le noir, de toute l'acuité de son regard aveugle, croit distinguer un poteau.

Bonjour, vous êtes bien en relation avec les sapeurs-pompiers. En raison d'un événement exceptionnel, les pompiers reçoivent de nombreux appels. Merci de préparer l'adresse de votre commune, votre adresse précise et l'objet de votre demande.

— Allô ? Allô ?

Bonjour, vous êtes bien en relation avec les sapeurs-pompiers. En raison...

Bonjour, vous êtes bien...

Amandine a posé la tête sur l'épaule de sa mère. Elle a du mal à ouvrir les paupières.

— *Bonjour, vous êtes...* Allô ?

Une voix d'homme. Ce n'est plus le répondeur.

— Guillaume et Alexandra Clemenceau, La Faute, 8, rue de la Rade-d'Amour.

— Bonjour, madame Clemenceau, la mer arrive jusqu'à vous ?

— On est sur la commode. On a de l'eau jusqu'aux genoux !

— Quel est votre numéro, rue de la Rade-d'Amour ?

— Huit.

— Vous êtes combien de personnes ?

— Trois, mon mari, notre fille de cinq ans et moi.

— Votre maison a-t-elle un étage ?

— Elle est de plain-pied.

La voix de l'homme est calme. Il parle lentement, écoute. On ne sent ni impatience, ni urgence, ni panique.

— Votre mari est à côté de vous ?

— Oui ! dit Guillaume.

— Surtout restez ensemble. Maintenez l'enfant sur l'endroit le plus élevé.

— Je ne suis pas sur la commode, moi, hurle Guillaume. J'ai de l'eau au-dessus de la ceinture. Le lit flotte. Est-ce qu'on peut tenter une sortie par la fenêtre ?

— Surtout pas ! Ce sont des vagues qui déferlent dans les rues !

— On ne vous appelle pas que pour nous. On devrait pouvoir monter dans les combles. Il y a beaucoup de faibles dans les maisons autour de nous, des personnes âgées...

— Je sais. Nous avons des appels. Je prends votre demande en compte.

— Allô ? Allô ?... Allô ?...

— Je vous entends ! Je vous entends !

— Je vous entends mal à cause du vent !

— Madame, les secours sont sur la route. Des arbres sont tombés. C'est la tempête. La circulation est difficile. On va arriver. N'attendez pas que l'eau monte encore. Réfugiez-vous au point le plus haut. Montez dans les combles.

— Dites-leur que c'est comme une piscine, ici ! L'eau monte vite. Elle m'arrive maintenant aux genoux. S'il vous plaît, venez le plus vite possible ! Il va y avoir des drames !

Amandine se met à pleurer.

— Pleure pas ! Pleure pas, mon cœur !

— Madame ! madame ! je vais être obligé de vous quitter. On arrive, madame. J'ai beaucoup d'appels. J'ai pris votre demande en compte. Courage, monsieur-dame !

Il a raccroché. Amandine crie. Plus Alexandra essaie de la calmer, plus Amandine se crispe et hurle.

— Je veux doudou !

— Tu l'as déjà !

— Doudou rouge !

Doudou rouge mouillé et doudou blanc qu'elle serre. Ses cris s'atténuent.

— Donne-la-moi, dit Guillaume. On va y aller.

Il a rempli le sac-poubelle de vêtements. Amandine crie en se débattant :

— Je veux pas !

— Pose-la sur mes épaules.

Quand elle est sur les épaules de son père, elle se raidit et se tait soudain.

— Lève tes jambes bien haut, si tu ne veux pas les mouiller.

Alexandra se laisse glisser de la commode dans l'eau. Lentement. La chair de poule, des chevilles jusqu'à la nuque. Même ses cheveux paraissent vouloir se hérisser. Mais elle ne sait pas si c'est le froid ou l'odeur de l'eau qui la suffoque le plus.

L'eau pue à gerber, le fuel, la vase, l'égout, le pourri. Elle est passée partout, dans les citernes de mazout, les chiottes, les canalisations. Elle les a éventrées.

— J'ai soif...

Elle a dit ça. C'est sorti tout seul, sans contrôle.

Guillaume la regarde, surpris. Elle a soif alors qu'ils baignent dans l'eau.

La gorge asséchée d'Alex lui fait mal. Elle aurait de l'eau potable, elle coulerait dans sa gorge comme sur le sable.

Il lui donne les sacs-poubelle bien étanches. Elle y fourre son portable et sa lampe, noue, serrée, l'ouverture des sacs.

Le faisceau de la lampe torche qu'il brandit pénètre l'eau bouillonnante et jaune qui leur arrive à la poitrine. Heureusement ils sont grands tous les deux. La pâleur de leurs visages creuse des taches claires dans l'ombre de la chambre.

— Tu me suis.

Alexandra était comme Amandine quand elle était petite, pire sans doute. Il n'y avait que sa mère pour calmer ses crises de larmes. Ça a duré toute l'enfance. La dernière fois, elle avait douze ans. Mais sa mère n'a pas pu la consoler.

Elles étaient rentrées de l'école, sa sœur et elle, et s'étaient assises sur les marches de la cour où le cochon attendait, étalé sous le figuier. Leur père lui avait construit un toit et un enclos avec des pieux de bouchots quand leur mère avait eu la folie d'un cochon.

Elle était institutrice.

— Tu as besoin de ça, en plus de ton école ?

Leur père ne comprenait pas. Il était fier d'avoir épousé une « savante », une « intellectuelle ». Leur maison devenait une arche de Noé. Sa femme avait recueilli quatre chats condamnés à servir de cible aux chasseurs. Elle avait rapporté de l'école un couple de tourterelles qui roucoulaient jour et nuit et se multipliaient au rythme de leurs amours effrénées. Elle élevait treize poules dans le poulailler.

Il racontait qu'il avait enlevé sa femme avec sa furieuse Peugeot 403 grise bouffée par le sel. Ils avaient disparu pendant quatre semaines de l'été 1975. Il avait dit à ses copains qu'ils voulaient voir Fès, Marrakech, le désert, les burnous, les chéchias, les femmes voilées. En réalité, leur Maroc avait été la pointe de l'île d'Oléron, le phare de Chassiron.

Ils empruntaient un petit Zodiac pour la plongée. Mais restaient enfermés dans leur tente canadienne des journées entières.

— Attention, si on élève un cochon, c'est pour le manger !

— Bien sûr.

Il y avait eu un premier cochon, Titus. Ils en étaient à Titus III.

La sirène des pompiers a retenti, ce soir-là, quand Alexandra se servait un verre d'eau au robinet de la cuisine. Leur mère revenait de *La Pergola* avec son vélo et, dans la petite remorque à l'arrière, le seau des restes du restaurant pour Titus. La voiture du jeune fou l'a fauchée sur la route de la digue. Elle s'est envolée.

Ils l'ont amenée à la maison. Leur père a refusé le funérarium. Il l'a voulue dans sa chambre, leur lit.

On aurait dit qu'il avait bu. Il parlait, parlait. Les gens entraient. Il les saluait. Il s'arrêtait soudain, comme le funambule sur la corde raide.

Alexandra est sortie dans la nuit, ce soir-là. La lune était comme une lame aiguisée au-dessus d'elle. Elle a vu luire les petits yeux de Titus III en s'approchant de la porcherie. Le cochon s'est dressé sur ses pattes, a reniflé contre la clôture.

C'est à ce moment-là qu'elle a senti quelque chose de chaud.

Elle s'est demandé si elle ne s'était pas fait pipi dessus. Elle a porté la main entre ses cuisses, serré. Elle s'est retournée de peur que quelqu'un la voie, malgré le noir. Une colique lui a tordu le ventre.

Sa mère l'avait prévenue que « ça » lui arriverait

« quand elle serait grande ». Des phares de voitures balayaient la cour. Les visiteurs continuaient de sortir et entrer dans la maison. Alexandra a réussi à se glisser dans la salle de bains. Elle a baissé son pantalon et s'est mise à pleurer.

Elle en voulait à sa mère de l'abandonner alors qu'elle avait besoin d'elle. Sa mère lui avait dit : « Ce n'est pas compliqué. Je te donnerai ce qu'il faut. »

« Ce qu'il faut », Alexandra connaissait. Elle avait vu sa mère acheter ses « carolines ». Elle est montée sur le tabouret et a pris dans le placard, là où sa mère rangeait le sachet de « carolines ». Elle a frotté le lavabo pour enlever les traces, frotté, frotté, s'est assise sur le tabouret et a pleuré sans s'arrêter, avec des hoquets, comme une Madeleine.

Agnès, sa sœur, a secoué la porte.

— Alex ! Ouvre ! Qu'est-ce que tu fais ?

La voisine, Clémence, l'a appelée :

— Alexandra, ma chérie !

5.

Le père d'Alexandra, à la civelle, s'est cru perdu lorsque la plus grosse vague lui est arrivée dessus.

C'était comme si l'eau s'était mise à bouillir. Il l'a entendue venir.

Il y avait bien les grondements de la tempête. Quelques gouttes de pluie piquaient. Il était enveloppé dans son ciré jaune, ne voyait rien. Son projecteur de pêche allumé était dérisoire pour éclairer ce qui se passait.

Le canot a été soulevé par l'avant presque à la verticale. Il a pivoté et est parti à la dérive, incliné sur le flanc. Il a glissé comme une planche.

C'est un miracle qu'il n'ait pas roulé. Les tamis à civelles de chaque côté du bateau ont dû le maintenir.

Le père s'est cogné la tête en tombant. Il a eu le réflexe de s'accrocher au banc. Ça a duré, lui a-t-il semblé, une éternité. Le bras, l'épaule, lui faisaient très mal. Il ne savait plus où étaient le dessous et le dessus. Le moteur emballé du canot hurlait à vide. L'eau giclait partout. C'était comme s'il était coincé dans le tambour d'une machine à laver.

Et puis le mouvement s'est ralenti brutalement. Le canot a encore failli se retourner.

Il est retombé sur sa quille, a continué de courir un peu. Le père s'est relevé, le cul dans l'eau. La pluie fouettait, presque à l'horizontale. Il n'y avait pas une lumière. Il ne savait pas où il était. Le moteur avait calé.

Le père a tiré sur la ficelle pour le relancer mais il n'a pas pu. Il n'avait plus rien, pas une rame, pas un seau. Tout avait été emporté. Il ne savait pas s'il y avait beaucoup d'eau sous le canot. Il se doutait bien qu'il n'était plus dans le lit de la Sèvre mais il cherchait quand même à travers le noir les super-structures du pont du Brault.

Et puis, comme le canot continuait de dériver, poussé par le vent et le flot, sans rencontrer le moindre obstacle, il a aperçu quelque chose à fleur d'eau, une silhouette. Le bateau s'en est approché. Le père a cru à un mirage. Et puis il a sauté à l'eau. Le canot l'avait ramené près de sa voiture ! Elle était là sur le terre-plein de la route, de l'eau jusqu'à mi-portière.

Il a bataillé parce que la mer l'empêchait d'ouvrir la porte. Il touchait son crâne blessé qui devait saigner. Il s'est assis sur le siège, l'eau jusqu'à la taille, a tâtonné pour mettre la clé. Le moteur a démarré du premier coup. Le moteur a démarré ! Un miracle ! Il y a eu des miracles comme ça au cours de cette nuit.

— Alors, je me suis mis à chialer tout seul, comme un drôle. J'ai braillé tout le long du chemin.

Il connaissait par cœur la route droite bordée de canaux qui traverse le marais. Ses phares étaient aux trois quarts dans la mer et n'éclairaient qu'au ras du capot. Le silo à grain l'a guidé, à l'embranchement de la route de Saint-Michel et de L'Aiguillon. Il a évité une meule de paille, contourné un cadavre de mouton les pattes en l'air. Il braillait encore en conduisant.

Il n'a pas ralenti dans la pente doucement déclive qui descend vers la Dive. Le marais se creuse en cuvette à cet endroit. L'eau était plus haute sur la route. Il guettait son moteur qui tournait comme une montre. Ce n'était pas possible, il allait s'arrêter !

Quand il est arrivé au chemin de la montée sur le rocher, le moteur a donné les premiers signes de fatigue. Il s'est mis à tousser, s'est étouffé. C'était fini. Il était noyé.

Le père est descendu. C'était encore plus incroyable. La voiture le laissait au bord du sec, là où le chemin monte vers le village, là-haut, à l'extrémité du rocher. Les premières maisons étaient vides. Il en était sûr. Elles sont à des vacanciers. Il est allé frapper à la porte de la ferme, à la proue de la Dive.

Il pleurait toujours. Le vent l'assourdissait. Il se demandait si ce qui lui arrivait était bien vrai.

Il a tambouriné autant qu'il pouvait. Les tôles du hangar à côté faisaient un boucan du diable. Il a appelé, hurlé.

Le paysan et la paysanne ont entrouvert. Éclairés par une lampe à pétrole, ils ont découvert ce grand corps au nez cassé encapuchonné dans son ciré plein de boue, le visage en sang. La femme se tenait derrière son homme, en chemise comme lui.

— Qui êtes-vous ? Qu'est-ce qui vous arrive ?

— J'étais à la pêche à la civelle.

— À la pêche à la civelle !

Ils se sont reculés pour le laisser entrer.

À ce moment-là, ils l'ont reconnu.

— Oh ! mon Dieu ! s'est-elle écriée.

Il était plus touché qu'il ne le croyait. Le sang lui coulait dans les yeux. Ça venait du crâne. Le cuir était entaillé jusqu'au front. Ça lui brouillait les deux yeux. Ses mains aussi étaient abîmées.

— Ça va... Ça va... J'ai eu de la chance. Avez-vous un téléphone ? Je voudrais prévenir Clémence, ma femme.

Jean-Jacques Montauran s'inquiète pour Marie. Depuis son opération, la grand-mère a descendu une marche. Elle n'a plus la résistance qu'elle avait avant.

Elle dit que c'est la faute de l'antihormonal qu'ils l'obligent à prendre tous les jours. Les médecins assurent qu'elle va bien. La chirurgienne n'y est pas allée de main morte. Elle a enlevé un maximum de ganglions sous le bras gauche.

Marie est aussi active qu'avant. Elle est toujours à remplir le congélateur, cuisiner, accumuler les confitures pour eux et les enfants. Elle conduit sa voiture, va chercher les petits à l'école. Elle s'arrête l'après-midi. Elle fatigue.

Elle n'est pas d'une nature à gémir. Quelquefois un soupir, une grimace.

— Qu'est-ce que tu as ?

— Rien.

— Si.

— C'est mon bras.

Son bras la fait souffrir. Normal, selon les médecins. Un rhume mal soigné au début de l'hiver a dégénéré en pneumopathie. Elle tousse encore.

— Prends la main de ta grand-mère, dit Jean-Jacques à Jérémie.

— Qu'est-ce que tu veux encore ? demande Marie.

Ils ont peu de meubles dans leur maison du Génie. Le grand-père redescend dans l'eau, tâtonne. Il a cru que ce serait facile de renverser la petite bonnetière qui n'est pas lourde, mais elle est aux trois quarts remplie d'eau. Il force. Le dos lui fait mal. La bonnetière chavire enfin.

— Qu'est-ce que tu fais ?!!

Il la pousse, la traîne flottante et dégoulinante sur le lit, la monte jusqu'au traversin.

— Vous allez vous asseoir dessus.

— Mais elle ne tient pas en place. Elle bouge !

— Quand vous serez montés, elle ne bougera plus. Monte, Jérémie, toi le premier. Tu t'installes avec Claire ? demande-t-il à Marie.

Il frotte le briquet.

— Vous êtes mieux comme ça.

— Où tu t'en vas encore ? grogne Marie.

— Il doit rester des serviettes sèches dans la salle de bains.

Les enfants se taisent. Claire, si ardente à crier, imite son grand frère.

— Vous êtes gentils, dit-il en revenant. C'est un mauvais moment à passer. Ça va aller. Ça va aller.

Il ne leur arrivera pas malheur. Ce n'est pas possible. Ils ont été tellement heureux ici. Un jour, le père de Jean-Jacques a pris un congre. Ils l'ont vu gesticuler sur la digue.

— Un marteau ! Apportez-moi un marteau !

Il brandissait sa ligne. Jean-Jacques est accouru.

— Pas un comme ça ! Un plus gros !

Il est revenu avec la grosse masse. Le père s'y est repris à trois fois pour assommer le congre qui se débattait et emmêlait le fil, la gueule pleine de dents, les yeux exorbités. Il lui a écrabouillé le crâne et s'est mis à rire aux éclats. Tout le village du Génie s'est rassemblé sur la digue pour admirer le monstre.

Le père a sorti son mètre de menuisier. Il regrettait déjà d'avoir abîmé la tête de la bête qu'ils auraient naturalisée et accrochée au mur de l'entrée.

C'est ici que Jean-Jacques et Marie ont fait leur premier petit, pendant leur lune de miel après la noce. La pilule n'existait pas encore. Ça n'a pas manqué.

Les serviettes étaient sèches dans le haut du placard. Ils n'auraient pas dû venir. Les literies pouvaient attendre. Elles vont être perdues avec l'eau de mer.

La grand-mère tousse. Il allume son briquet.

Quatre serviettes. Une pour chacun. Le travail de

nettoyage sera énorme. La véranda a explosé. C'est un mauvais moment à passer.

C'est une saloperie d'affreux moment à passer.

Le couloir est dans un état pire que ce qu'Alexandra imaginait. Les débris de plâtre flottent avec leurs lambeaux de tapisserie et de briques arrachés dans la chute des étagères de livres, des chaises paillées de la cuisine sont arrivées là ventre en l'air, un coussin du fauteuil, l'enveloppe plastique du pack d'eau minérale.

Guillaume leur ouvre le passage, écarte les étagères.

La porte qui mène au garage résiste. Le poids de l'eau. Il pousse. Il a de la force. Il cogne de l'épaule.

— Ne serre pas tant, dit-il à Amandine, tu m'étrangles. C'est l'eau qui fait ventouse.

Il prend de l'élan.

— Les moutons n'auront pas été assez finauds pour se réfugier sur les tas de paille et de foin.

— Les moutons sont très petits... dit la petite voix d'Amandine.

— J'en ai vu traverser des canaux à la nage parce que les chiens les poursuivaient.

Il ne dit pas qu'ils n'ont nagé que quelques mètres. Leur laine n'avait pas eu le temps de s'imprégner et de les alourdir. Et il n'y avait pas de vague.

La porte s'entrebâille et cède peu à peu. L'eau leur gicle à la figure. Il a entrouvert assez pour qu'ils puissent se glisser.

Alexandra a de l'eau jusqu'aux aisselles. Amandine tend ses petits pieds à l'horizontale au-dessus de la surface. Le vent hurle avec une constance qui ne fléchit pas. Alexandra a la bouche ouverte. Elle aimerait y enfoncer ses doigts et se soulager comme ça.

Guillaume éclaire le garage avec sa lampe. La petite auto d'Alexandra a de l'eau par-dessus le toit.

— Tu me suis ?

Et, alors qu'elle ne l'a pas prévu, que Guillaume va entrer dans le garage et qu'elle est dans le noir du couloir, elle s'entend lui dire :

— C'est moi qui ai écrit sur le portail de Lounesse.

Elle ne sait pas pourquoi elle a dit ça. C'est sorti de sa bouche qui la brûle sans qu'elle l'ait voulu, comme du vomi.

Il se retourne. Il se demande s'il a bien entendu. Il ne comprend pas. Il y a le vent. Il se refuse à entendre ce qu'elle lui a dit. Il cherche son regard à travers le noir.

— Qu'est-ce que tu viens de dire ?

Elle n'a pas bougé du couloir. L'eau pourrie lui clapote sous les bras. Et elle répète, comme du vomi.

— C'est moi.

Il grogne, sa fille au-dessus de lui, secoue la tête, se retourne d'un brusque mouvement des épaules, éclaire le garage.

L'établi a basculé sur la voiture. Le congélateur béant laisse échapper les sacs de viande de mouton, de fruits et de légumes qui flottent sur le capot. Le portail de bois du garage branle et craque. Guillaume cherche l'escabeau qui devrait être accroché au mur, mais n'y est plus.

Il se hisse sur le toit de la voiture.

— Baisse-toi, Amandine, colle-toi à moi !

Il soulève la planche de la trappe au milieu du plafond. Le vent y ronfle comme dans un moulin.

— Viens, toi ! dit-il à Alexandra.

Elle s'approche parmi les sacs de congélation, les morceaux de bois, les planches, les piquets, les bouteilles qui flottent. Il l'aide à monter sur la voiture.

— Tu y vas la première. Je te passerai Amandine.

Elle jette le sac-poubelle dans les combles, s'accroche aux bords de la trappe. Elle est souple, longue. Elle dégouline sur lui et sur Amandine. Il la pousse sous les fesses. Elle disparaît dans le trou.

Elle tend le bras, se penche, attrape Amandine, la tire. La petite est muette, ne se plaint pas. Elle a laissé ses doudous à son père qui les lance, tend la lampe à Alexandra. Il rentre une épaule, l'autre, reste coincé, grogne. La trappe carrée est étroite.

— Dis-moi que ce n'est pas vrai, gronde-t-il entre ses dents serrées.

6.

Julie a fait ce qu'il fallait quand la vague allait l'emporter. Elle a plongé.

Elle a cramponné le poteau au passage. Son épaule l'a heurté. La douleur a failli lui faire perdre connaissance. Elle a cru qu'elle se l'était cassée. C'était la faute de Marinette sur sa poitrine. Elle a voulu la protéger.

La vague a tourbillonné sur elles. Julie n'a pas lâché. Elle s'est hissée sur les encoches en forme de marches du poteau électrique, à demi assommée, asphyxiée. Sa tête a surgi de l'eau dans un cri qui lui déchirait la poitrine. Elle a toujours été bonne nageuse. À Achill Island, elle se jetait dans les rouleaux de l'océan. Bobby n'arrivait pas à la suivre.

Elle a cru Marinette foutue. La chatte pesait sur son ventre comme un corps mort.

Julie a dénoué son écharpe mouillée qui tirait sur son épaule blessée comme une corde. Et la chatte a bougé. Marinette a lentement redressé le cou, la tête, et elle s'est mise à se vider. Elle a vomi sur Julie, longtemps, toute l'eau qu'elle avait avalée.

Une joie violente et sauvage a envahi Julie accrochée à son poteau au-dessus de l'eau.

Elle s'est rappelé le matin d'hiver où elle était descendue, petite fille, jusqu'à l'étang derrière la maison. Il avait gelé. Une pellicule de glace le recouvrait et l'herbe blanche craquait sous ses bottines. Elle a monté sur le muret du bord de la chaussée, là où on lui avait dit de ne jamais approcher, là où elle risquait de se noyer. Le ciel était bleu profond. Le soleil se levait dans de mouvants flamboiements dorés. Elle s'est tournée face à lui, yeux fermés, a tendu les bras de chaque côté pour l'équilibre, et a continué d'avancer, tâtant du pied les pierres du mur inégales et glissantes, consciente de l'appel du gouffre prêt à la happer au premier pas de côté. Elle répétait la formule de sa mère, le soir, en l'embrassant dans son lit :

— Mon bon ange gardien, protégez-moi !

Et elle savourait ce plaisir inconnu, vertigineux, intense, cette jouissance mystérieuse à se trouver ainsi au bord du vide qu'elle narguait. Sa mère a failli la précipiter dans l'étang lorsqu'elle s'est mise à hurler du seuil de la maison.

— Juli-i-i-e !

Julie a été déséquilibrée. Elle a chancelé, ouvert les yeux et finalement sauté sur la terre ferme. Sa mère est accourue, un nuage blanc devant la bouche, haletante.

— Tu es folle ! Viens ici !

Elle a reçu la plus vigoureuse fessée de toute sa vie.

Julie ferme les yeux, se cramponne de la pointe des pieds, des bras. L'encoche étroite où elle appuie ses pieds nus incline vers l'extérieur et Julie est très vite en déséquilibre. Elle se remonte régulièrement. La plante du pied lui fait mal. Le béton a des aspérités. Ses doigts de pieds tétanisent.

Elle se soulage de temps en temps en ne s'appuyant que sur une jambe, tout son corps suspendu à la seule résistance de ses bras. Mais son épaule alors est traversée de violents élancements.

Je dois m'être pelé l'épaule.

Elle touche à travers sa parka mouillée. Le vent ronfle autour du poteau, autour d'elle. La mer gronde. Elle ne voit rien que des nuées qui défilent devant la lune quand le ciel se dégage un peu. Mais elle est persuadée qu'elle se trouve bien maintenant au milieu de la mer dont les vagues se brisent contre son poteau. Elle est suspendue au-dessus de l'abîme. Il lui semble parfois que le poteau s'incline et tangue avec la houle.

Elle ne sait pas précisément où elle se trouve. Elle s'est arraché les yeux à chercher des repères à travers le noir mais n'a rien vu. Elle est au bord de ce qui était, avant, la route de la Pointe, mais elle ne distingue ni dune, ni digue, ni rien.

Le hurlement de sa mère qui la découvre sur le muret verglacé de l'étang lui vrille à nouveau les oreilles.

Pourvu qu'elle ne sache pas ce qui se passe ! Elle n'a pas appelé quand l'alerte rouge a été signalée. Elle ne rate jamais la météo.

Sa mère appelle le dimanche midi. Elle rentre de la messe. Julie se lève de sa longue nuit au casino. Sa mère a toujours peur de déranger. Elle chuchote, discrète, cherche ses mots.

Julie pense que si elle a fui à dix-huit ans, c'est

pour échapper au modèle maternel. Aujourd'hui leurs discussions sont souvent tendues. Sa mère ne supporte pas les vagabondages de sa fille. Julie ne voulait pas devenir cette femme confite, dévouée, craintive, dans la nostalgie de son défunt mari. Elle a voulu exister par elle-même.

La douleur s'incruste à la pointe de l'orteil, remonte en lanières par le cou-de-pied, le mollet, la cuisse, s'épanouit sur les reins et les épaules. Le froid en est autant la cause que la position difficile.

Pourtant elle n'a pas l'impression d'avoir froid. Le vent sèche ses vêtements trempés mais il balance des embruns et fouette les gouttes d'averses brèves et brutales.

Elle n'est pas frileuse, ne grelotte pas, remue le pied pour chasser la douleur. Elle a trouvé un trou dans le béton où elle accroche sa main. Elle pense à un alpiniste qui se cherche une prise. Elle a laissé son téléphone sur sa table de nuit. De toute façon il devait être cramé. Il baignait déjà.

Elle palpe Marinette dans l'écharpe, lui presse pattes, dos, cou. La chatte ne réagit pas. Les chats ont horreur d'être mouillés. Marinette l'a sans doute sauvée, si elle s'en tire. Elle approche les doigts des yeux de Marinette. La chatte bat les paupières.

Est-ce qu'un étui à violon est étanche ? Elle s'est posé cette question alors qu'elle luttait avec le sable sur le seuil de la maison. Elle ne pouvait vraiment pas l'emporter avec la chatte autour du cou. Elle abandonnait à l'eau ce qu'elle avait de plus précieux.

La joue contre le béton rugueux du poteau, elle

évite les gouttes d'embruns ou de pluie sur la figure. Elle ferme les yeux. Le poteau tangue encore et vibre au choc du ressac et du vent.

Elle rouvre les yeux. Il se stabilise. Le somnifère lui fait-il encore tourner la tête ?

Elle glisse la main et cherche la chaleur de Marinette. Dans sa tête résonnent quelques notes du rondo de Mozart.

Un jour, Alexandra a vu Guillaume asséner un coup de poing sur la tête d'un jeune bélier qui fonçait sur lui. Le bélier a roulé par terre, étourdi, s'est relevé, surpris, et s'est sauvé au bout du pré.

Les fermettes de la charpente forment un quadrillage de triangles très bas avec des traverses qui les obligent à courber le dos. Les sifflements du vent sous les tuiles sont assourdissants. Il leur avait semblé pourtant, en bas, qu'il soufflait moins fort. Il miaule et court sur les fermes avec des martèlements de sabots d'un troupeau. Les tuiles s'agitent et battent en claquements de dents menaçants.

Amandine se bouche les oreilles des deux mains avec une grimace horrifiée.

— Il souffle pourtant moins fort, j'en suis sûr, dit Guillaume.

La lumière de sa lampe frappe sa femme et sa fille en pleine figure et les éblouit. Alexandra dénoue le sac-poubelle. Elle ne s'en rend pas compte mais sa bouche tremble. Leurs pantalons et leurs pulls trempés répandent une mare dans la laine de verre sous leurs pieds. Elle sort les jeans, tourne vers Guillaume ses yeux de mûre des ronciers.

— Baisse ta lampe. Elle me fait mal aux yeux.

Amandine regarde les éclairs de peau nue de ses parents qui se sont allongés dans la pénombre et se tortillent pour se dévêtir et enfiler les vêtements secs. Le vent râle dans un chéneau.

— Tu ne pourrais pas enlever quelques tuiles ? On est comme des rats dans un trou.

Guillaume palpe les planches de la volige, leur donne quelques coups du plat du poing. La volige est solide. Il frappe plus fort. Elle résiste, puis cède, craque, se soulève. Il la repousse, la brise, des tuiles glissent, dégringolent. Il passe la main, attaque la planche voisine.

Le vent s'engouffre dans la trouée, siffle, se rue et gonfle son dos sous les combles. La volige et les fermettes gémissent. La toiture tient.

Guillaume glisse la tête et les épaules dans le trou.

— Bon Dieu... !

Il répète.

— Bon Dieu de bon Dieu !

Il reste à regarder. Alexandra le tire par la manche pour prendre sa place.

Le vent empoigne ses cheveux, les tord, les tire, la fouette.

Elle ne voit d'abord que le ciel. La lune ronde et blanche brille comme un trou dans la glace. Quelques étoiles. Et ailleurs, partout, du côté de la mer, des montagnes de nuées qui s'effilochent en fumée, en brume qui descend jusqu'à elle et lui jette des gouttes à la figure. Elle les lèche sur sa bouche, les trouve salées. Elle s'y abreuve. Il lui semble qu'elle pourrait y étancher sa soif.

Et puis elle distingue l'eau noire, la devine, là où était la terre. Aucune lumière ne brille, nulle part, ni à La Faute, ni à L'Aiguillon.

Des éclairs pourtant sillonnent le ciel. Eux donnent l'eau à voir. Est-ce qu'il y aurait de l'orage ? Ils semblent venir d'en bas, comme s'ils jaillissaient de l'eau. Il n'y a plus de rues. Il n'y a que l'eau qui bouge et tourbillonne sans refléter le ciel autour des masses sombres des toits des maisons.

Ils sont au milieu de l'eau dans un monde qui n'est plus le monde.

Autrefois, avant la construction des digues, la mer recouvrait toutes ces terres. Quelques îles se dressaient au milieu : la Dive, Charron, Saint-Michel, l'île d'Elle. L'endroit s'appelait le lac des Deux-Corbeaux.

Elle rentre dans son pull ses cheveux dont le vent lui crible la figure, cherche la digue de terre qu'elle ne voit pas, la camionnette, leur camionnette dont elle se rend compte que n'émerge plus que le toit.

Elle entend Guillaume parler dans les combles.

— Allô, Robert ?

Il a appelé les Murail.

— Que devenez-vous ?

Elle ne lui demande pas de mettre le chorus. D'ailleurs, avec le vent...

— Vous avez froid ?...

Elle rentre sous le toit parce que Amandine l'appelle.

— Tenez bon... Le plus dur est bientôt derrière. Vous ne savez pas si vous pourrez tenir ? Nous, on

97

est dans les combles. On a ouvert et enlevé des tuiles. On voit votre maison. On est avec vous, Robert. La mer va baisser, oui – il regarde sa montre –, il est quatre heures... Les secours vont venir... Oui, on a appelé les pompiers, nous aussi... Résistez, oui, résistez, vous m'entendez, Robert ?... Non, Marianne ne va pas mourir... On est là. Ne lâchez pas... Ne lâchez pas...

Il dit quand il a fini :

— Ils sont sur leur table, debout sur des chaises.

Amandine pleure.

— Je ne veux pas mourir, maman.

— Mais non, tu ne vas pas mourir. Personne ne va mourir. Tu as entendu papa.

Alexandra la déchausse, déchire un sac-poubelle dont elle noue les morceaux autour des pieds de sa fille, qu'elle masse à travers le plastique pour la réchauffer.

Leur vie, quand elle y pense, ressemble à la terre du marais. Noire dessus, elle repose sur le bri, une glaise bleuâtre qui garde l'eau et ne sèche jamais. Autrefois on ne le labourait qu'à la pelle parce que le limon cassait le soc des charrues.

Elle déroule un autre sac-poubelle. Guillaume en a apporté tout un rouleau et il en reste encore. Elle enfile le sac sur Amandine comme un capuchon, ouvre des trous pour la tête et les bras. La petite se laisse faire.

La mère d'Alexandra avait acheté des capuchons bleus à pois blancs à ses deux filles quelques jours avant de mourir. À quatorze ans, Alexandra portait encore ce capuchon trop court quand elle pédalait en tongs sur le pont du Lay, entre L'Aiguillon et La

Faute, sur la vieille bécane de sa mère. Le cordonnet de sa jupette en vichy était lâche sur sa peau nue. Elle avait déjà ses jambes de fille, tout de suite hâlées par les premiers soleils, et les regards des passants accompagnaient leur mouvement sous la jupe jusqu'à hauteur de la selle.

Elle roulait jusqu'au casino de La Faute. Elle venait de découvrir des mots nouveaux : black-jack, craps, baccarat. L'entrée était interdite aux mineurs, mais elle s'engageait hardiment dans le tambour de la porte en riant de la voir tourner. Elle claquait des tongs sur le carrelage étincelant en s'approchant des machines à sous. Elle se régalait du bruit des pièces qui tombaient en pluie dans le gobelet. Elle n'avait pas un centime en poche, bien sûr.

Elle disait qu'elle portait chance aux vieilles à cheveux blond cendré qui enfilaient leurs jetons et leur proposait d'abaisser le levier.

Le premier qui l'a emmenée voir la mer s'appelait Tony.

Il lui a offert une des cigarettes qui donnaient à sa bouche un goût de miel. Il a même glissé le paquet dans la pochette de son chemisier. Il était vieux, vingt-quatre ans. Les coups sourds de la batterie du casino se mêlaient aux râles de la mer tandis qu'allongé sur elle il la pénétrait dans les dunes.

Elle ouvre des trous dans un autre sac-poubelle qu'elle passe sur ses épaules, en tend un à Guillaume.

Le sac tire, trop étroit pour les épaules de Guillaume.

Un soir, alors que les néons rouges et jaunes du

casino peignaient des couleurs bariolées sur la mer noire, qu'elle était toute nue sur le sable et qu'elle pleurait, Tony a passé une chaîne autour de sa cheville fine. Il lui a dit qu'elle était en argent. Le vent salé du large donnait à Alexandra la chair de poule. Il allait partir. L'été était fini.

Elle est allée marcher toute seule sur la dune, la veille de la rentrée des classes. Elle s'est avancée vers la mer et, quand la vague a mouillé ses tongs, elle s'est penchée, a défait la chaîne de sa cheville et l'a lancée dans la mer.

— Les Blanchet... dit Guillaume.

Le numéro de ces autres voisins est sur le carnet noir au fond de l'eau avec le téléphone fixe. Le vieux Blanchet est hémiplégique. L'infirmier passe le lever et le coucher, matin et soir. Le vieil homme dit que, plutôt que l'hôpital, il préférerait un coup de marteau sur la tête. Il ne dit pas marteau, il dit « merlin ». Il a été boucher et, autrefois, on assommait les bêtes avec le merlin. Sa femme passe la tondeuse, taille les haies, le roule jusqu'à sa voiture spéciale, conduit. Lui, quand il fait beau, bien sanglé, il s'incline sur le côté de son fauteuil et désherbe lentement les iris et crocus des parterres.

Guillaume glisse la tête dans le trou des tuiles, essaie de voir le toit de la maison des Blanchet. Ils sont très fiers de leur génoise de briques à l'ancienne.

Il rentre la tête, éclaire Alexandra et Amandine adossées à une fermette. Il se penche vers elles en se pliant pour s'asseoir. Mais l'espace est étroit.

— Il va falloir que tu m'expliques, dit-il avec une douceur forcée.

7.

L'évêque va parler. Il quitte sa cathèdre et s'approche du micro pour prononcer son homélie.

Il n'a gardé que sa petite calotte violette sur ses cheveux noirs. Les fidèles, les prêtres, dans la cathédrale, sont assis. Il est arrivé en Vendée depuis un peu plus d'un an. Les gens ne le connaissent pas très bien encore. Il vient de Paris, une paroisse du VIe à quinze mille euros le mètre carré, où il était curé.

Saura-t-il trouver les mots ? Il y a des mots qui blessent et des mots qui guérissent. Des mots qui ressuscitent. Va-t-il parler juste ? Il a la langue de la ville. Il connaît mal les paysans, les marins, les braves gens ordinaires. Il est jeune encore, les cheveux et les sourcils de jais.

C'est la première fois qu'il se coltine la pâte profonde de la Vendée qui a mal et saigne. Il a rejoint les bénévoles du Secours catholique venus en aide dans la salle omnisports pendant la semaine. Il a accompagné le président de la République. A-t-il bien mesuré la détresse, entendu les silences, senti le poids des larmes ?

« Chères familles de toutes les victimes, familles de Vendée et de toutes les régions sinistrées...

« Au cœur d'une nuit ordinaire, sans doute plus

bruyante qu'à l'accoutumée, sur ce littoral vendéen où la mer et le vent sont le quotidien des habitants, les éléments se sont conjugués, révélant la fragilité des hommes, de leur vie et de leurs entreprises. En cette fin de semaine, des familles vivaient en paix et aucun vent, même violent, ne pouvait troubler ceux qui ont connu bien des bourrasques et des marées. Puis, au cœur de la nuit, l'inattendu est survenu, engloutissant les vies, séparant les familles, terrassant les plus faibles. Au cœur de cette nuit d'angoisse, de silence et de froid, dans la profondeur des ténèbres, dans le déferlement d'une force inconnue et aveugle, la mer a pénétré brutalement dans les maisons que l'on avait bâties pour la paix, fracassant les lieux d'intimité conçus pour la vie en y faisant entrer la mort... »

Il a trouvé. Il a les mots de la sensibilité et du cœur. Ce n'est pas l'heure de la raison. Juste celle de l'écoute et de la compassion. Et, puisqu'il est évêque, simplement donner à entendre la voix discrète de l'espérance. Ce qu'il fait.

Il parle de la douleur des familles et de la peine de tout un peuple. De la parole fragile de ceux qui, à l'approche des ténèbres, confient avec affection : « Dites bien combien j'ai aimé cette terre. » De ceux qui ont pu échapper à la mort dans le silence et le froid, de leur attente blottis sur de fragiles refuges et du temps devenu interminable.

Il dit que la brutalité d'une catastrophe ajoute au bouleversement de la perte d'un conjoint, d'un enfant, d'un père, d'une mère, « comme si le sol se dérobait ». Il s'adresse à ceux qui ont tout perdu, leur maison, leur outil de travail, les souvenirs d'une vie, l'espoir d'une retraite méritée et heureuse. Il évoque les villes meurtries, les rivages dévastés, les paysages anéantis. Remercie ceux qui se sont dressés, faisant face avec courage, refusant la fatalité du drame, les pompiers, la gendarmerie, les pouvoirs publics, les sauveteurs, les associations.

Il parle de l'éprouvante recherche des victimes. De l'immense élan de solidarité de la Vendée qui vient d'écrire avec dignité une nouvelle page tragique de son histoire. Il parle de la souffrance qui mine jusqu'au fond de l'être et interroge son Créateur comme au jour du vendredi saint. De la force du mystère d'injustice, la puissance du mal, et du cri d'une révolte qui est signe d'une humanité blessée.

Et il donne à entendre le cri de Marie, la sœur de Lazare, lorsque Jésus arrive : « Seigneur, si Tu avais été là, mon frère ne serait pas mort ! » Jésus venait rendre visite à son ami. Lazare est mort. Jésus pleure. Mais Jésus dit devant la pierre du tombeau qu'on a roulée : « Lazare, sors dehors ! » L'évêque assure qu'à chacun le Seigneur dit : « Viens dehors ! »

La vie est toujours victorieuse. Après les bouleversements légitimes, un horizon nouveau s'ouvre. Telle est la foi des chrétiens, l'espérance qui est la force et la grandeur des saints.

Il conclut avec la lettre du pape Benoît XVI aux victimes : « Je recommande les défunts à la miséricorde de Dieu. De grand cœur, j'invoque l'abondance des bénédictions divines sur toutes les personnes durement éprouvées. »

Il va s'asseoir et laisse un temps de méditation.

L'orgue joue.

Il se lève. La liturgie de l'adieu reprend.

L'à Dieu.

— On va rester longtemps ici, papa ? demande Amandine, de sa petite voix.

— On va attendre... que le jour se lève...

— Mais ce n'est pas tout de suite !

— Dors, murmure Alexandra.

— L'eau ne va pas encore monter ?

— Elle ne montera pas jusqu'au toit. Dors.

Alexandra dit ça mais elle n'est pas sûre. Qui aurait imaginé qu'ils auraient été obligés de se réfugier dans les combles ? Le vent semble pourtant baisser parfois depuis qu'ils sont là. Et puis une nouvelle bourrasque arrive et s'engouffre en hurlant. Les tuiles claquent. Le zinc de la gouttière vibre. La charpente craque.

Il va falloir que je trouve de l'eau à boire, sinon je vais mourir.

La gorge d'Alex la brûle toujours autant. C'est comme si elle avait du sable embrasé dans la bouche et la gorge. De la lave. Elle n'a jamais eu soif comme ça, même malade avec de la fièvre. Guillaume arrache une bouchée de pain.

— Tu en veux, Amandine ? demande-t-il.

104

La petite hoche la tête. Elle a généralement bon appétit. Quand leur fille s'est mise à dévorer dès ses premiers mois, ils ont pensé à la petite mémé de Guillaume épaisse comme un couteau qui disait : « Je tiens le coup parce que je mange ! » La grand-mère a mangé longtemps, sur le pouce, ce qui lui tombait sous la main, des moules, des berniques, des lavaillons. Elle a tenu jusqu'à quatre-vingt-douze ans.

Alexandra se décide à son tour. Elle détache pour elle un morceau de mie et de croûte du pain ramolli comme un torchon et trouve qu'il étanche un peu sa soif. Le pain passe. Elle avale. Elle en reprend.

Guillaume est assis en face, les jambes repliées sous lui, de l'autre côté des trous de la trappe et du toit. Elle sait qu'elle va devoir parler. Elle a commencé. Il faudra qu'elle aille jusqu'au bout. Il éteint la lampe torche, se lève, glisse la tête dans le trou du toit. Le vent cogne encore. Le zinc de la gouttière s'agite. Alexandra ferme les yeux.

Un matin des vacances, l'année d'après son premier amoureux, Tony et ses rendez-vous sur la plage, son père est entré dans sa chambre et l'a réveillée. Il avait sa voix dure, sa figure fermée. Il lui a demandé de s'habiller.

Elle a obéi.

— On m'a dit que tu te conduisais comme une traînée ! Je n'aime pas qu'on dise du mal de ma fille sur le port. Alors, c'est décidé, tu vas venir travailler avec moi sur le bateau.

— Pas aujourd'hui, papa !

— Attache tes cheveux. Je ne veux pas d'une fille aux airs de petite putain sur notre bateau.

— Et toi ?... a-t-elle répliqué.

Son père, qui avait versé toutes les larmes de son corps après la mort de sa femme, s'était mis en ménage avec la voisine Clémence et Alexandra ne le supportait pas. Elle a filé, vite fait, dans le garage enfiler ses bottes pour échapper à la main levée de son père. Tony était remplacé par un blondin qui accélérait à fond sur le dos d'âne du canal au volant de sa voiture de sport lorsqu'elle frappait dans ses mains.

Le patron a remis un tablier vert à Alexandra sur le bateau. Ils ont descendu l'embouchure du Lay. Des pêcheurs à la ligne sur la digue agitaient la main pour les saluer.

— Bande de fainéants ! a grogné le boucholeur à la barre.

Il a rapproché la barge de la digue pour emmêler leurs lignes. Après Arçay, ils ont piqué vers les champs de mer où émergeaient à peine les têtes noires des pieux des bouchots.

Elle a travaillé à la calibreuse pendant toutes les vacances. Elle ôtait les petites étoiles de mer, les bigorneaux, les crabes minuscules, les moules à la coquille défectueuse. Quand le panier était plein de moules, les hommes l'enlevaient et le rangeaient avec les autres.

La mer baissait sans qu'on s'en aperçoive. Les pieux devenaient plus hauts que le bateau. On ne voyait plus l'île de Ré. On était au cœur d'une forêt au milieu de la mer. À la pause, les hommes déchiraient le carton d'un pack de bière, ouvraient pour les manger des moules dont les robes d'un velours doré palpitaient.

Elle s'est fait une profonde entaille avec une coquille parce qu'elle avait négligé de mettre ses gants. Le boucholeur qui méprisait les pêcheurs sur la digue a ricané.

— C'est le métier qui rentre !

Alors elle a eu la haine contre tout ça : la forêt de pieux, les vases noires, son tablier vert, les cirés jaunes, les casiers. Elle a continué à sortir de plus belle, les soirs d'été, sans autorisation, en passant par la fenêtre. Elle soignait sa réputation. Clémence disait qu'elle « faisait honte ».

Ça a duré comme ça jusqu'à ce que Guillaume la voie.

Un après-midi, alors qu'elle sortait de la maison de la presse avec des revues qui la faisaient rêver, il est arrivé par la rue de l'Église. Il lui a parlé. Ils avaient dix-huit ans, tous les deux. Ils se connaissaient depuis toujours. Il était en stage à la cabane du Petit-Clos, un polder dont les terres riches donnaient autant de maïs et de blé que la Beauce. Il a défendu Alexandra lorsque ses parents l'ont prévenu qu'il ferait bien de se méfier : cette fille était comme le sable.

Mais ç'a été fini. Elle n'a eu personne d'autre après lui. Son mauvais caractère et sa réputation lui restaient pourtant collés à la peau. Elle avait de qui tenir. Elle avait de l'origine.

C'est pour ça qu'ils ont décidé de partir et qu'ils ont déménagé en Charente, à Lounesse.

Alexandra détache dans le noir une autre poignée de mie molle.

— Tu entends ? lui demande Guillaume debout.

— Quoi ?

— Écoute, quelqu'un crie « À l'aide » !

Elle s'approche du trou. Elle entend le ressac de l'eau qui tape, respire les relents de fuel. La petite grand-mère de Guillaume avait sa mine des mauvais jours quand elle avait rêvé dans l'« eau trouble ». C'était un « mauvais signe » pour elle et elle était inquiète toute la journée.

— Je n'entends rien.

Amandine s'endort. Sa tête roule sur l'épaule de sa mère. Guillaume se rassoit.

— Les éclairs, dit-il, je crois que ce sont les voitures. Les batteries sont dans l'eau, le contact s'établit tout seul et ça fait des courts-jus.

Il ouvre la trappe du garage pour vérifier avec son bras si l'eau a monté

— Ferme, ça pue.

— Elle n'a pas fini de monter.

Ils sont face à face dans le noir. Ils sentent leurs yeux posés l'un sur l'autre. Les sacs-poubelle autour de leurs épaules font du bruit.

C'est maintenant qu'il faut qu'elle parle. Elle pense : après la prochaine rafale. Elle ne tarde pas à arriver.

— Est-ce que tu te souviens du 23 octobre à Lounesse ?

— Quel 23 octobre ?

Alexandra sent que ses yeux se mouillent. Elle n'est pourtant pas une pleureuse. Sa bouche brûlante est asséchée, ses yeux inondés. Tout est à l'envers en cette nuit de tempête.

Le grand-père allume son briquet pour voir où en est le niveau de l'eau. Elle était tout à l'heure, il n'y a pas longtemps, en dessous de l'encadrement de la bonnetière où ils sont assis. Maintenant elle l'a rejoint. Il pense à ce qu'on dit de la montée de la mer sur le sable du Mont-Saint-Michel, « à la vitesse d'un cheval au galop » et il est parcouru par un grand frisson.

Il regarde l'eau. Elle arrive. Elle bouge. Elle est vivante. Elle remplit la chambre.

— Qu'est-ce que tu fais ? lui demande Marie.

— Rien.

Ils sont enveloppés dans leurs serviettes de toilette, encore à peu près au sec sur la bonnetière. Il éteint.

— Je voudrais que tu me chantes ta chanson, dit la grand-mère à Claire blottie entre ses bras. Comment commence-t-elle déjà ? Celle que tu chantais dans la voiture en venant... *Je chante, je chante...*

La grand-mère et la petite fille reprennent ensemble :

Je chante je chante
Moi j'ai trois ans...

— Enlève ton pouce !

Je saute je saute
Je suis contente...

Qu'est-ce qui arrive à Marie ? Elle chante ! Est-elle inconsciente ? Est-ce qu'elle se rend compte de la situation dans laquelle ils se trouvent ?

Est-ce que sa femme est en train de perdre la

tête ? se demande le grand-père. Ils sont des naufragés dans leur propre chambre. La barque percée
sur laquelle ils sont réfugiés va bientôt être recouverte. Ils ont froid. Jérémie tremble dans les bras de
Jean-Jacques qui se creuse désespérément la cer-
velle pour les tirer de là. Et Marie chante. C'est vrai
qu'ainsi on entend moins les grondements de la
tempête qui a peut-être baissé de violence. À moins
que ce soit simplement qu'ils se sont habitués.

On dirait vraiment qu'elle s'amuse. La petite
n'est-elle pas trop lourde sur ses genoux ? Claire a
presque trois ans de moins que Jérémie et elle pèse
autant que lui.

Est-ce que Jean-Jacques s'est trompé sur sa
femme ? Serait-elle plus solide qu'il ne l'a cru ? Est-
ce qu'au bout du compte elle serait au moins aussi
forte que lui ?

Ça le rassure. Il peut compter sur elle. Tout seul,
il ne sait plus s'il y arriverait. Le dos lui fait mal. Il
a trop forcé pour renverser la bonnetière. Et puis
les allers et retours dans l'eau glacée. Il se sent très
vieux tout d'un coup et fragile. Dès que Jérémie
bouge un peu à son cou, le pauvre petit ne s'en
rend pas compte, il lui remue des couteaux dans le
bas du dos.

Plus jeune, il aurait trouvé un moyen. Il n'a pas
réagi assez vite. Il n'a pas eu le réflexe. Ils auraient
dû monter sur le toit dès qu'il s'est réveillé. À ce
moment-là c'était possible. Il n'a pas eu le courage
ou l'audace. Il a préféré rester à l'abri. D'abord, il
ne se serait pas laissé surprendre. Il aurait été aux
aguets. Il aurait entendu la tempête.

Chanter est au-dessus de ses moyens. Depuis

qu'ils sont acculés sur la bonnetière, quelque chose le tient à la gorge et l'étrangle, le poigne. Et plus l'eau monte plus l'étau se resserre.

Les deux voix de Claire et de Marie continuent.

Je danse, je danse...

Il s'est sûrement trompé sur sa femme. Ils lui ont enlevé ce cancer, ouvert le sein, gratté jusqu'à l'aisselle pour retirer les ganglions. Ça s'est bien passé. Il lui reste la cicatrice comme une demi-lune dans l'aréole. Elle a tout porté sans broncher, l'opération et les rayons qui ont suivi. Il était à côté d'elle. Il s'aperçoit cette nuit qu'il n'a peut-être rien compris.

Il était là mais, comme ça *se passait bien*, il avait déjà la tête à autre chose, à ses bricolages à l'extérieur. Il n'a pas vraiment partagé ses angoisses et ses souffrances. Il ne les voyait pas, ne les sentait pas. Elle souriait. Elle avait tout organisé pour que tout continue comme avant pendant qu'elle était à ses séances de rayons. Elle y allait avec sa voiture. Elle a toujours mal au bras où ils ont enlevé les ganglions. Ils lui ont interdit de porter des choses lourdes de ce côté. Et Claire pèse sur ses genoux.

S'il avait la force, il prendrait les deux petits. Comment fait-elle ?

Il rallume son briquet. Ça y est, cette fois l'eau ruisselle sur la bonnetière. Marie a les fesses dans l'eau comme lui. Pour l'instant les petits ne s'en rendent pas compte, puisqu'ils les ont sur leurs genoux. Bientôt, si ça continue, il faudra qu'ils se mettent debout.

Par moments, la bonnetière bouge, se soulève, tangue un peu. Si seulement elle pouvait se mettre à flotter. Mais elle ne flottera pas. Il le sait. Jean-Jacques pèse de tout son dos contre le mur pour l'empêcher de bouger. Marie fronce les sourcils. Elle a le visage large, les yeux écartés.

— On n'a pas besoin de voir !

Elle veut dire que les enfants n'ont pas besoin de se rendre compte que l'eau est si proche. Elle a raison.

— Qu'est-ce qu'on fait ? demande-t-il.

— Allez ! On se met debout ! dit la grand-mère.

— En même temps, pour que la bonnetière...

Marie compte.

— Un, deux, trois...

Finalement il s'est toujours rendu compte des choses trop tard. Il s'est levé tôt, le matin, sans doute pour compenser son manque de lucidité. Il a aimé ça, être le premier, allumer les lumières dans l'atelier, respirer l'odeur de la sciure et des copeaux autour des machines endormies. Il engueulait le gars qui arrivait en retard : « Qu'est-ce qui t'arrive ? La Michelle t'a retenu au plumard ? T'as fait la bringue hier soir ? »

— Allez, Jérémie, c'est à ton tour de chanter maintenant ! dit la grand-mère. Allez, vas-y, mon grand.

Jérémie se cramponne au cou de son grand-père.

— Non !

Il a répondu durement. Il se hausse pour monter plus haut au cou. Sans doute perçoit-il la tension de Jean-Jacques. Et puis, comme son grand-père se tait, il a choisi le camp des hommes.

À la vitesse d'un cheval au galop. C'est bien ça. C'est effrayant ce qu'elle monte vite. Ils s'en rendent compte maintenant qu'ils sont debout. Ils l'ont au-dessus des genoux. Parfois elle va encore plus vite que ça. C'est une vague qui arrive et ne se retire pas.

— Bon, alors... dit Marie. Si vous le voulez bien, je vais vous chanter quelque chose que vous connaissez...

Elle s'arrête. L'eau vient de faire un nouveau bond contre leurs jambes. La chambre des enfants dans le contrebas doit être inondée jusqu'en haut.

La grand-mère commence, doucement.

Notre Père, qui es aux cieux...

Jean-Jacques a envie de lui crier : « Arrête ! » La prière est un abandon, un aveu d'impuissance. Il n'y a plus que Toi, là-haut, qui sois capable de nous tirer de là ! Elle ramollit Jean-Jacques. Il a envie de pleurer.

Marie chante comme à l'église, juste, la voix haute et douce.

Que ton règne vienne...

Les enfants l'écoutent. Elle n'y met pas d'émotion particulière. Elle chante avec le même détachement que tout à l'heure avec Claire « moi j'ai trois ans ».

Est-ce qu'il a prié un jour ? Il ne s'est pas opposé à ce que Marie se mêle aux bigotes de Nantiat quand le curé disait la messe. Il la regardait même s'habiller avec sympathie. Il est allé aux enterrements. Il a fait sa communion. Il a toujours été étranger aux démonstrations du curé. Il parlait avec lui. Il trouvait qu'il donnait de la vie à l'église. Quand il a été conseiller municipal, il a voté pour la restauration du clocher. Mais il ne peut pas dire qu'il ait jamais senti quelque chose vibrer à l'intérieur.

Et là, cette nuit, dans l'eau...

Marie s'arrête.

— Je ne veux pas chanter toute seule. Vous connaissez le *Notre-Père*, les enfants. Vous chantez avec moi. On recommence ?

— Chante avec ta grand-mère, chuchote Jean-Jacques à l'oreille de Jérémie.

La voix du petit vibre, grave déjà pour un enfant. La barbe du grand-père râpe sa joue. Jean-Jacques mime le chant. Il essaie de chanter, ouvre la bouche, mais aucun son ne sort. Sa mère lui a dit qu'il aurait fait un bon mime. Sa mère qui leur cuisait des chaudrées, ici, sur le vieux gaz à deux feux.

Pourquoi appelait-elle ça des chaudrées ? Elle mélangeait les moules, les crevettes, les coques, les balleresses, les petits bars de ligne, les couennes de seiche, versait dessus un litre de vin blanc salé du pays, ajoutait tomates, poivrons, quelquefois des fèves, un peu de farine. Ils mangeaient avec les doigts, suçaient les coquilles de moules, se badigeonnaient la bouche et les mains.

Jean-Jacques a demandé à sa mère de donner sa recette à Marie.

— Je n'ai jamais eu de recette. Je mettais tout ce que vous m'apportiez.

— Ce n'est pas vrai, maman.

Elle a bien voulu expliquer à Marie, qui n'a jamais réussi à l'égaler. Marie est pourtant bonne cuisinière. Il manquait toujours quelque chose. Peut-être le bleu intense du ciel de ses quinze ans sur leur tablée au soleil, sur la terrasse qu'il a couverte ensuite d'une véranda.

La véranda qui a explosé tout à l'heure.

Mais délivre-nous du mal.

Un son rauque, comme un croassement, sort de sa bouche. Il ne se contente pas de mimer, cette fois. La bonnetière bouge. Du pied, il s'efforce de la retenir.

C'était sans doute une faute de construire ici, en contrebas de la digue, en dessous du niveau de la mer. Mais jusque-là il ne leur était jamais rien arrivé.

Julie monte d'un cran sur le poteau qui se rétrécit à mesure qu'on monte. La marche d'appui est moins profonde aussi. Elle touche le poil de Marinette qui sèche, cherche la tiédeur des replis.

La chatte jaune est son dernier lien avec Bobby. Ils l'ont recueillie quand ils habitaient au milieu des buissons de fuchsias pleins de fleurs comme des gouttes de sang, à Achill Island. Des chaînes arrimaient leur caravane sur des parpaings à cent mètres du bord de la falaise. Quand le vent agitait les anneaux, il leur semblait, sur leur couchette, que la caravane gîtait comme un bateau.

Ils fumaient des Woodbine en regardant déferler les vagues, montaient jusqu'à la tour de la radio décrocher l'améthyste des rochers qu'ils distribuaient dans les pubs de Castlebar où ils allaient chanter.

Bobby O'Brien et elle se sont rencontrés au festival interceltique. Monté sur la table d'un bar, il chantait « The Foggy Dew » parmi les pintes de bière. Il l'a chanté à la tribune au garde-à-vous devant la foule recueillie qui avait enlevé ses casquettes.

Elle se doutait que, Bobby et elle, ce ne serait pas toujours tout à fait ça. Les nuées noires des ciels chargés d'Irlande brouillaient sans savoir pourquoi ses yeux verts aux moments les plus lumineux. Mais quand il chantait « The Foggy Dew » sa voix remuait si profond que toutes les filles pleuraient.

Il a essayé plusieurs fois de compter ses taches de rousseur après qu'elle s'était désapée de son jean si collant qu'elle ne le retirait qu'allongée. Il s'y prenait avec méthode, traçait des cercles au crayon feutre sur sa peau, notait le nombre de taches à l'intérieur de chaque cercle. Mais il n'avait jamais la patience d'attendre et de compter jusqu'au bout.

Sa vie déboussolée de chanteur le saoulait, les tournées d'une ville à l'autre dont il ne voyait rien. Il voulait retrouver sa vie d'avant, quand il n'était rien. Ils ont tout de même évité son comté de Galway où on ne l'aurait pas laissé tranquille. Dans le Mayo, les applaudissements des mouettes se moquaient pas mal des stars de Dublin.

Au *Rocky Bar*, le patron leur improvisait une estrade avec des tables. Elle l'accompagnait au violon, il chantait. On leur apportait deux, trois pintes de bière.

Ils passaient ensuite au *Molly Malone*. Elle suçait la crème ocre sur la bière couleur de terre. Bobby tirait deux cigarettes de sa pochette de chemise sans en sortir le paquet. Il avait une manière à lui d'écarter les poils de sa moustache pour y enfoncer

les deux cigarettes qu'il allumait. Il aspirait la première bouffée et glissait la seconde cigarette dans
la bouche de Julie, les yeux brillants. Ils chantaient
encore dans la voiture qui cahotait en les ramenant
vers leur falaise et chancelaient sur les marches de
parpaings de la caravane.

Il avait jeté son téléphone à la mer pour tourner
la page. Elle savait qu'il avait une autre vie à Dublin.
Une coiffeuse blonde est sortie de son salon près
du *Rocky*, un soir. « Tu es Bobby O'Brien ? » Elle
lui tendait un magazine avec sa photo. « Une
signature ! Juste une signature, Bobby ! » Les
tablées n'ont pas changé, les soirs suivants, au *Rocky*
et au *Molly*, ni les regards rouges de fumée au-
dessus des pintes posées devant eux. Mais sur le
trottoir, devant la porte, le rassemblement devenait
de plus en plus dense.

Julie savait que ça ne durerait pas. Ils étaient dans
la caravane depuis un peu plus d'un mois. Bobby
montrait moins d'assiduité dans ses calculs de
grains de beauté. Il regardait souvent la mer.

Elle a descendu l'escalier de la falaise, un après-
midi, pour rejoindre Marinette au soleil sur la
mince plage de sable comme une tache de rousseur
entre les rochers. La chatte menait une vie libre de
jeune sauvage parmi les fuchsias. Elle avait sauté
dans la caravane en ronronnant, la queue en cierge,
avec une lenteur séductrice dès qu'ils avaient ouvert
la porte. Bobby l'avait appelée Marinette parce que
c'était le nom qu'il donnait déjà à certaine partie
soyeuse de la géographie intime de Julie.

Marinette avec l'accent irlandais, « Maurweenatte ».

Elle a entendu les portières lorsqu'elle remontait la falaise. Quand elle est arrivée en haut, la voiture disparaissait au tournant vers Castelbar. Il lui avait griffonné sur un papier au coin de la table : « Ils sont venus me chercher. Il faut que j'y aille. » Et puis un chiffre : « 63 ». C'était le total maximal de taches auquel il était arrivé.

Elle est allée seule avec son violon au *Molly* et au *Rocky*. Ça a tenu encore un mois. Elle se rendait bien compte qu'il lui fallait de plus en plus de Guiness pour « se mettre en train » et ensuite dérailler très vite. On ne compatissait plus à ses larmes qui coulaient sans cesse et même on trouvait ça fatigant. Et puis, un soir, celui qui la raccompagnait à la caravane, parce qu'elle n'était pas en état de conduire, a glissé le pied dans la porte lorsqu'elle a voulu la fermer.

Ce qu'elle a cru trouver dans les chansons de Bobby, c'était ce qu'elle avait aperçu dès ses premières leçons de musique, à dix ans, après la mort de son père. Tout de suite, tandis qu'elle appuyait la joue sur la mentonnière de son petit violon, elle avait senti une houle de possibilités infinies. Et puis il y avait Françoise, sa professeure.

Quand Julie était avec Françoise, le temps n'existait plus. Elle se souvient des répétitions du rondo de Mozart *Köchel* 373. Françoise était convaincue qu'avec ses dons et sa passion elle s'ouvrait une voie naturelle vers une carrière professionnelle.

Et puis à dix-sept ans, le bac en poche, libérée de sa mère et de Françoise, Julie a cru s'affranchir en choisissant d'autres musiques et d'autres sons à l'université. Elle a partagé la vie d'un groupe de musiciens qui partageaient tout. Son violon était de l'amour pur. Elle était dévouée à tous comme sa bonne chrétienne de mère le lui avait enseigné.

Elle a vingt-trois ans. Six ans ont passé, autant que ses années de leçons avec Françoise. Elle était trop jeune l'année du bac. Hier soir encore, elle se trouvait très vieille.

Maintenant, sur son poteau dans le noir au-dessus de la mer, elle se dit que, ce qu'elle voudrait, c'est devenir une huître collée à son rocher. Ne plus rien sentir. Ne plus penser. Être là. S'incruster.

Elle ne sent plus son bras autour du poteau, sa jambe, tout le côté droit. C'est peut-être le commencement du début de sa transformation en huître.

On dirait des bruits de voix sur la mer. Il paraît qu'autrefois le village de L'Aiguillon se trouvait là, du côté de la Pointe, et qu'il a disparu dans les flots d'une tempête. On dirait aussi la sonnerie d'une cloche. De l'église engloutie ?

Une giclée d'embruns explose à la figure de Julie. Elle respire cette eau qui a la même odeur que les flocons d'écume sur la falaise d'Achill Island. Ses doigts pétrissent la peau et le poil de Marinette. Quand les secours arriveront, s'ils arrivent, peut-être découvriront-ils cette curieuse coquille de fille calcifiée avec son chat contre un poteau ?

Elle entend maintenant des notes du *Köchel* 373, dans les sifflements du vent et les grondements de la mer. « Écoute ce son pur comme de l'eau de source ! » disait Françoise. Elle a dit « de l'eau de source » la première fois que Julie a fait sonner son

119

violon d'adulte, que sa mère avait payé une petite fortune pour fêter ses quatorze ans. Celui qu'elle a laissé dans la maison inondée.

Le premier mouvement lui revient. Les trilles. Le pizzicato. Ses doigts glissent sur l'ébène du manche.

— Et si je te dis « la combe des buis » ? demande Alexandra.

— Quoi, la combe des buis ? Bien sûr que je la connais ! répond Guillaume. Oui, la combe des buis ! Et alors ?

En même temps qu'il dit ça, il voit la combe, juste à côté de Lounesse, avec son chemin qui descend, les genévriers, les chênes et les carrières à côté, mais il est traversé par une autre vision qui le saisit : une voiture derrière un pied de buis, la sienne, ses vitres sont couvertes de buée, il est à l'intérieur et il n'est pas tout seul.

— Ça commence à te rappeler quelque chose, dit-elle, comme si elle lisait dans sa tête à travers le noir. C'était le 23 octobre.

Elle n'aurait presque pas besoin de lui en dire plus. Il a soudain tout compris. Il croyait que c'était un secret qui n'appartenait qu'à lui. Il l'avait dissimulé dans un coin de son esprit et il s'arrangeait pour l'oublier. Mais voilà qu'Alexandra le ressort, le brandit, la voix brouillée par les pleurs.

— Je suis descendue à la combe des buis pendant qu'Amandine dormait. Je voulais seulement voir si les cèpes avaient commencé de sortir. Je pensais que nous y retournerions ensemble le lendemain. J'ai été surprise de voir ta voiture, notre voiture, derrière un taillis de genévriers. Tu étais parti faire des courses à la coopérative. Naïve, j'ai pensé que tu avais eu la même idée que moi et j'ai été contente. J'allais te trouver en train de fureter au pied des chênes. Et puis j'ai vu, plus haut, sa voiture noire, à elle, il n'y en avait pas deux comme la sienne dans le pays. Je me suis approchée de la nôtre. Les vitres étaient couvertes de buée. Et je vous ai vus.

Elle avale. Elle avale

— Je me suis sauvée...

Une rafale fait craquer la charpente. Guillaume aimerait lui dire : « Une fois ! Ça n'est arrivé qu'une seule fois ! » Mais ce n'est pas une excuse. Ils se faisaient une confiance totale. Ils s'étaient dit : « Celui qui trompe une fois trompe cent fois. »

— Tu sais comment tu étais quand tu es rentré ? demande-t-elle.

Il ne se souvient pas. Il pense : pas bien, pas fier.

— Magnifique ! Tu étais magnifique ! Tu as fait sauter Amandine sur tes genoux. Tu parlais des clôtures à mettre autour des terres des Groies. J'ai été en furie contre moi surtout, pendant quatre jours. Je me demandais pourquoi, moi qui n'avais jamais plié, j'avais eu la faiblesse de me sauver. J'aurais dû cogner contre la voiture, vous déloger, mettre le feu à sa voiture. Et puis j'ai fini par l'admettre... Je l'ai admis la quatrième nuit... c'était parce que je ne voulais pas prendre le risque que ce soit fini entre nous... je ne voulais pas te perdre !

La voix d'Alexandra tremble. Il voudrait avoir le droit de se lever, de s'asseoir auprès d'elle et de la prendre dans ses bras. Il ne bouge pas de son coin de comble. Elle renifle. Il la devine dans la vague clarté qui entre par le trou du toit.

Le silence du vent, des tuiles, des gouttières est surprenant, comme si la tempête écoutait. Cette fois l'accalmie est bien réelle. Mais la mer n'a pas fini de monter. Et, c'est sûr, il entend clairement une voix, dehors, qui appelle :

— Au secours !

8.

La grand-mère a de l'eau jusqu'à la taille. De l'eau comme de la glace dont le froid remonte juqu'à ce bras et ce sein que la chirurgienne a grattés pour en arracher le crabe.

Deux gros flux d'eau se sont succédé à quelques secondes d'intervalle, deux vagues ont déferlé. La bonnetière a gîté. Marie a cramponné le bras de Jean-Jacques. Claire a crié.

— On va mourir noyés ? a demandé Jérémie.

— Ne fais pas peur à ta petite sœur.

Marie remonte Claire un peu plus haut à son cou. La fillette claque des dents. Le clapotis de l'eau et les mouvements de la bonnetière l'ont mouillée jusqu'aux fesses.

Ils ne chantent plus. Quand Marie a voulu parler, Jean-Jacques lui a dit :

— Repose-toi. Tu te fatigues.

Elle a compris que c'était lui qu'elle fatiguait.

Elle aimerait pourtant partager ce qu'elle remue et qu'il doit remuer autant qu'elle. Elle pense sans cesse à Simon, leur fils, et à Sophie, leur bru. Sophie a accompagné les petits au fourgon pour les

123

embrasser avant le départ. Elle a toujours du mal à se séparer de Jérémie et Claire. Elle était encore dans le fourgon à leur recommander d'être sages alors que Jean-Jacques avait mis le contact. Elle est descendue de la cabine à reculons, comme à regret.

S'il doit arriver malheur, eux, les grands-parents, seront seuls responsables. Sophie les accusera puisqu'elle s'est inquiétée de l'alerte rouge et qu'ils n'en ont pas tenu compte. Comment le couple de Simon et Sophie pourrait-il y résister ?

Marie se moque de mourir. Elle n'a pas peur de la mort. Ce qu'elle voudrait, c'est ne pas souffrir. Mais si elle meurt, que deviendront les petits ? Jean-Jacques pourra-t-il les sauver ? Non, pas les petits !... Non !... Mon Dieu ! Laissez-les vivre ! Ils n'ont pas mérité ça !

— Arrête !

Jean-Jacques secoue le bras.

— Qu'est-ce qu'il y a ?

— Calme-toi.

— Je n'ai rien fait.

— Tu me fais mal.

Elle lui broyait le poignet.

Marie remonte Claire. Son bras s'affaisse malgré elle. Claire claque des dents.

Mon Dieu, si Vous existez, sauvez-la ! Sauvez-les !

— Tu as entendu ? demande Guillaume.

— Oui.

Il se lève.

— Au secours ! Au secours !

Une voix d'homme, proche, aiguë, terrible. Est-ce que Guillaume la connaît ? Il glisse la tête dans le trou. D'où vient-elle ?

Il repousse la planche de volige qui lui rentre dans l'épaule, la plie, la brise. Des tuiles glissent, tombent à l'eau. Il continue avec une fureur silencieuse, en s'écorchant les mains, il le sent. Quand le trou est assez large, il se hisse.

— Qu'est-ce que tu veux faire ? lui lance Alexandra. Te noyer ?

Elle le coupe dans son élan.

— Il n'est pas loin... dit-il.

— Et alors ?

Il écoute. Ils ne l'entendent plus. Il se laisse retomber en grognant dans le comble, allume pour trouver le portable, compose un numéro, écoute, recommence.

— Il n'a plus de tonalité, plus rien. Il est foutu !

Il se glisse encore dans l'ouverture du toit, presse le bouton de sa lampe torche pour lancer dans la nuit un signal lumineux. Mais il n'y a qu'un de ces éclairs curieux qui fusent de l'eau pour lui répondre.

Le vent a beaucoup baissé désormais. Il souffle encore mais ce ne sont plus les bourrasques hurlantes de tout à l'heure. C'est pourquoi ils ont entendu l'appel de l'homme. Les flocs de l'eau qui se brasse contre les murs sont clairement perceptibles. Le tonneau de fuel qui flottait à la surface a disparu. Tous ces clapotis, ces ruissellements, ces effondrements, indiquent peut-être un reflux. La mer va peut-être se retirer comme elle est venue.

Guillaume s'incline, ouvre la trappe du garage,

enfonce le bras. Non, elle n'a pas baissé. Au contraire.

Il se rassoit dans son coin de comble, plie ses jambes encombrantes devant lui. Depuis qu'il a élargi l'ouverture, ils y voient un peu mieux. La buée mauve qui tombe du toit laisse entrevoir leurs silhouettes, plus nettement encore quand la lune dégagée des nuages y ajoute ses éclats d'argent.

— Comment as-tu fait ? demande-t-il. Quand as-tu écrit ce tag ? Je ne me suis aperçu de rien. Je dormais.

Alexandra enfonce ses pieds glacés dans la laine de verre qu'elle ramène sur ses jambes comme une couverture. Elle voudrait ne plus parler. Le cri désespéré de l'homme résonne encore dans ses oreilles. La langue lui fait mal. Elle n'est plus capable de manger une bouchée de pain. Amandine sursaute dans son sommeil.

— Non, tu ne dormais pas, dit-elle enfin. Tu t'es levé cette nuit-là, la quatrième, pour aller voir une brebis malade. Tu ne t'en souviens pas ?

Comment s'en souviendrait-il ?

— Je me suis levée aussi après toi. Je n'avais rien prévu. Je ne savais pas vraiment ce que je faisais. J'avais acheté une bombe de peinture noire pour repeindre le guéridon de la chambre d'Amandine. J'ai pris le petit escabeau de la cuisine. J'étais en chemise. Il y avait de la bruine. Tu étais agenouillé dans la bergerie auprès de la brebis. Je suis allée au grand portail de notre porche. J'ai failli faire demi-tour sans avoir écrit. J'ai tagué sans rien voir, à l'instinct. J'avais peur qu'une voiture passe et je savais que tu ne serais pas longtemps parti. Je suis rentrée vite. J'étais mouillée. J'ai changé de chemise. Quand tu t'es couché à côté de moi, tu m'as dit : « Tu es froide, toi aussi. »

— Je t'ai dit ça ?

— Il me semblait que je puais l'essence de la peinture. Je n'ai pas dormi. Je me demandais si tu n'avais pas remarqué cette bombe au milieu des produits d'entretien de la maison et puis j'avais peur que tu reconnaisses mon écriture, même si j'avais écrit de la main gauche. Quand tu t'es levé, le matin, j'étais folle, j'ai pensé que tout était perdu. Mais quand tu es revenu dans la chambre... tu te souviens ?

De ça, oui, il se souvient.

— Tu étais pâle comme l'herbe qui avait gelé au lever du jour. Tu m'as conduite toute tremblante devant le porche. J'ai compris que j'avais eu tort d'avoir peur. La nuit et la bruine m'avaient aidée. Ce n'était pas moi qui avais écrit ça. J'ai déchiffré incrédule l'inscription aux longs jambages déformés mais lisibles sur le portail du porche charentais, face à la route :

Les Groies aux Champagnots ! Va-t'en !

J'épiais, malgré tout, en même temps, sur ton visage, l'apparition d'un soupçon qui n'est pas venu. Tu m'aurais regardée, sans doute que j'aurais craqué. Je t'aurais dit ce que j'avais vu et ce que j'avais fait. Mais tu ne me regardais pas. Tu étais blanc, les yeux sur la peinture qui avait coulé. J'ai pensé à la fille Ollivier, à vous deux dans la combe des buis. Tu as tendu le bras. Tu m'as tirée à toi, encore tremblante. Je me suis laissé faire. Des voitures sont passées sur la route. Elles ralentissaient en découvrant dans leurs phares encore allumés notre couple devant le tag. Tu m'as pétri l'épaule. Tu m'as demandé : « Qu'est-ce qu'on fait ? Qu'est-ce qu'on va devenir ? »

Il bouge. Il se passe la main sur la figure et frotte comme s'il voulait décrocher un masque douloureux. Sa barbe émet un bruit de râpe.

La rosée blanche de la lune ruisselle par le trou. La bouche d'Amandine exhale une fumée grise. Alexandra a coincé sous ses genoux les pieds de sa fille. Il se relève avec sa lampe. Les voix portent loin sur l'eau quand le vent est favorable. Les cueilleurs de moules peuvent se parler d'un parc à l'autre comme s'ils étaient sur la même péniche. La lune vernit le toit des Blanchet. « Les rôles sont inversés », a dit à Guillaume le vieux handicapé incliné au bord de son fauteuil. Sa femme l'avait roulé parmi les rangs de haricots verts. « Elle sème et je récolte. » Est-ce qu'elle a eu la force de le traîner sur un point élevé et de se sauver avec lui ?

Quand elle était petite fille à l'école de L'Aiguillon et même pendant les premières années de collège, on a appelé Alexandra la Mularde. Elle avait hérité ce surnom de son arrière-arrière-grand-mère, Lilas, qui vivait comme une sauvage dans une guérite de la Pointe avec son père.

C'est curieux comme les choses ne s'oublient pas. Elles font comme les bateaux enfouis dans les vases. Un jour, elles resurgissent.

Quel vieux, quelle vieille se sont souvenus qu'on appelait l'aïeule la Mularde ? Un mulard est le petit d'un canard franc et d'un canard sauvage. L'arrière-arrière-grand-mère était une sang-mêlé, créole, ramenée de Guyane par un gardien de bagne. Alex ne connaît que quelques photos d'elle, conservées par son père, des photos de cérémonies et de fêtes de la mer. Elle n'est plus toute jeune, mais elle a de l'allure, le visage creusé par le travail et les épreuves, le teint plus foncé que ses voisins et voisines. Son chignon monte bien haut comme une parure. Sa chevelure fournie devait être sa fierté. Le port de tête droit, elle fixe le photographe avec une fermeté, presque une dureté, plus grande que celle de ses voisins et voisines qui n'ont pas des visages tendres.

Alexandra ne pouvait pas renier ses origines. Petite fille, plus encore qu'aujourd'hui, elle avait la peau mate et noire comme un grillon, les cheveux frisés et crépus.

Et puis elle est devenue « la Gazelle » en quatrième, à l'époque de la gloire olympique de la Guadeloupéenne Marie-José Perec. Alex était de loin la plus grande et la plus rapide de sa division. Elle battait même les garçons à la course. Elle avait sa cour. Ses yeux noirs écorchaient ceux qui se risquaient à s'en prendre à elle. Son père venait de se mettre avec Clémence. La Gazelle, ça lui allait. Personne n'osait plus l'appeler la Mularde.

Elle a été coachée en seconde par un prof de sport mordu de compétition qui disait qu'elle avait l'influx. Si elle voulait travailler il l'emmènerait loin. Elle s'est entraînée à fond pour le 200 mètres. Elle a écouté le coach, répété cent fois les départs, enchaîné les longueurs dans la piscine pour renforcer sa résistance, allongé ses foulées en les comptant jusqu'à ce qu'elles deviennent automatiques. Elle n'a plus fumé, oublié Tony et les autres. Elle a survolé les championnats départementaux et régionaux. On lui a remis des médailles. Les photographes lui demandaient de sourire en les montrant. Et elle se disait : « Tout ça pour ça... » Tous ces efforts, ces kilomètres d'entraînement, cette souffrance, ces espoirs...

Qu'est-ce que c'est, gagner ? Elle a gagné en arrachant Guillaume à la fille Ollivier. Et ils sont maintenant là, prisonniers de ces combles, parmi d'autres qui sont peut-être en train de mourir.

Et leurs moutons, là-bas, dans la bergerie de la Prée, sont probablement tous noyés.

Jean-Jacques installe Jérémie sur ses épaules.

— Fais attention à ta tête. Méfie-toi de ne pas te cogner.

La tête de Jérémie frotte le lambris. Heureusement le grand-père n'est pas grand.

Dans son métier, à l'établi ou sur un toit à monter une charpente, la taille n'a pas d'importance. Un petit y arrive très bien. L'important, c'est la résistance, l'adresse et la main. Il a eu la main du bois tout de suite, comme son père. Simon l'a aussi. Ils ont les mêmes longs doigts faits par les ciseaux, creusés par les échardes, noircis par le chêne. Aucun n'a perdu une phalange à la machine.

Il a eu peur que le froid de l'eau, le mal au dos, ne l'empêchent de monter son petit-fils sur ses épaules. Il a encore de la force. Il soupire.

— Tu devrais en faire autant, Marie... Ça va, Jérémie ?

— Oui.

Le petit lui casse un peu le cou mais il sent sa chaleur vivante sur son crâne et ses épaules.

— Tu veux que je t'aide, Marie ?

Il soutient Claire. Les bras mouillés de Marie tremblent. Leurs mains se touchent.

— Fais attention à ta tête !

Il a retrouvé un peu de vitalité et d'espoir. Il faut bouger, parler. Marie a raison de chanter. Ils sont comme des montagnards perdus dans le froid et la neige. S'ils s'arrêtent, s'ils s'endorment, ils ne se réveilleront plus.

Il reste près de Marie, rapproche un peu les pieds, sa hanche contre sa hanche. Elle laisse aller son épaule, s'appuie contre lui.

— Écoute !...

Ils écoutent les bruits, les chuintements, les gouttes qui tombent des pieds des petits.

— Il n'y a plus de vent, dit-il.

— Tu penses qu'ils peuvent venir vite ?

— Si Simon sait, tu le connais, il a déjà pris sa voiture.

— Et s'il ne sait pas ? Personne ne sait qu'on est là.

— Il va savoir. Il préviendra les pompiers. On n'a qu'à attendre.

— Il faudra que ce ne soit pas trop long, murmure la petite voix sérieuse de Jérémie.

— Oui, chéri, dit Marie. Tu n'as pas des démangeaisons, Jean-Jacques ?

Elle se gratte.

131

— Ton bras te démange ? C'est probablement le sel de l'eau... L'idée de mettre dehors l'ouverture pour passer dans les combles est de moi. Je trouvais joli cet œil de bœuf à parements de briques comme à la maison des ingénieurs. Je m'en veux. On serait au sec. Je n'avais pas pensé...

— Personne n'a pensé...

— Sophie avait envie d'un bateau. Si Simon ne l'a pas encore acheté, c'est qu'ils voulaient que les petits sachent d'abord nager.

— Je sais nager, dit Jérémie.

— Oui. Toi.

Claire imite sa grand-mère et se gratte aussi.

— Ne te fais pas mal. L'eau ne monte presque plus. Il faut seulement être patiente et attendre.

— Je ne veux pas !...

— Tu ne veux pas quoi ?

— Être patiente !...

— Les pompiers vont venir.

— Quand ?

— Bientôt.

— Quand, bientôt ?

— J'ai peur, gémit Jérémie.

— De quoi as-tu peur ? Je suis là. Je te tiens.

Marinette sort les oreilles de l'écharpe verte, risque les yeux. Elle observe à travers le noir, dresse la tête, la tourne, hume le vent qui a baissé.

Elle attend qu'il lui sèche les poils, aventure le torse.

Puis viennent les épaules. Elle prend son temps, cligne des paupières, extirpe une patte, l'autre.

Elle essaie ses griffes sur l'écharpe et le survêtement de Julie, se décide enfin, monte sur sa poitrine, s'agrippe à son épaule, hérisse le poil de son
dos encore rincé, son arrière-train chiffonné, une
patte traînante, sans doute endolorie d'avoir été
écrasée dans le sac.

Elle se campe sur l'épaule de sa maîtresse, griffes
plantées, en prenant garde de ne pas la blesser. Elle
se tourne vers l'océan. Le phosphore luit dans ses
yeux. Elle renifle encore le vent salé, respire
l'odeur du monstre, son musc.

Elle arrondit sa queue, s'abaisse.

Elle s'aplatit, s'allonge, se fait toute molle contre
le cou de Julie, pose la tête sur sa nuque.

Elle ronronne.

9.

Le prêtre fait coulisser la chaîne de l'encensoir pour l'ouvrir. L'évêque verse l'encens sur les charbons rouges. L'orgue joue le Requiem *de Gabriel Fauré. La soliste chante avec lui.*

La petite femme, dehors, contre la balustrade, cramponne fébrilement le bras de son mari.

— Il faut que je m'assoie !

Elle est en noir. Un foulard lui serre le cou. Il la prend par le coude, lui fraie un chemin parmi la foule.

Ils s'approchent du monument aux morts où des gens sont assis sur les marches. Deux jeunes se lèvent pour leur laisser la place. Elle transpire. Ses lèvres sont bleues. Ses mains qui tremblent ont du mal à tenir le mouchoir qu'elle presse sur son visage gris.

— On n'aurait pas dû venir, dit-elle.

Des ombres de frayeur passent dans ses yeux.

— C'est trop. Ça me sonne aux oreilles. Tout ça me remonte...

Elle se met à pleurer. Elle n'est pas si vieille. Mais, quand elle pleure, sa petite figure pâle se couvre de plis. Son mari lui enlève le mouchoir et entreprend de lui essuyer le visage.

Les gens, sur les marches, tournent la tête vers l'écran et n'osent pas les regarder. La soliste baisse les paupières pour chanter, on dirait qu'elle a les yeux fermés. Ils ont compris qu'il s'agissait de rescapés. Ça se lit sur leur figure. Les gestes de l'homme sont si intimes qu'ils sont gênants. La femme paraît si abandonnée, si à bout. Faut-il faire quelque chose pour eux ? Des gilets jaunes de secouristes circulent parmi la foule.

— J'ai peur, gémit la femme en secouant sa tête qui tremble.

— De quoi as-tu peur ?

— Je ne sais plus où je suis.

Ils sont sortis de l'hôpital la veille. Ils ont voulu venir. Ils ont cru que d'assister à la cérémonie leur ferait du bien. Ç'a été le cas au début. Ils ont été portés par la foule, n'ont plus pensé à eux, à leur nuit d'enfer, à ce qu'ils avaient perdu, se sont sentis presque bien.

Et puis la fatigue, sans doute. La panique s'est emparée tout d'un coup de la femme. Elle dit qu'elle s'est sentie à nouveau couler.

Ils se sont laissé piéger bêtement par la tempête parce qu'ils ont voulu sauver leur ordinateur. Ils auraient pu se réfugier dans la chambre haute de leur fille qui n'était pas là. Mais ils n'ont pas imaginé, eux non plus, que l'eau allait continuer de monter.

Ils ont fait comme tout le monde, ils ont voulu d'abord mettre sur cales tout ce qu'ils pouvaient. Et puis ç'a été si vite. Quand ils se sont décidés à monter, parce que ce n'était plus possible de tenir en bas, ils ont quand même essayé d'emporter l'ordinateur où ils avaient toutes les photos de famille, la comptabilité, les assurances. Une étagère a bloqué la porte de l'escalier. Ils essayaient de *l'ouvrir lorsque la baie vitrée a explosé. La mer s'est ruée. D'un coup, l'eau a monté d'un mètre.*

— C'est trop tard pour l'escalier !

Heureusement, le mari était un bon nageur. Il a tenu sa femme.

— Il faut sortir ! Fais comme moi ! Plonge !

Elle ne sait pas comment elle a fait. Il y avait du courant, des tourbillons, les meubles qui traversaient la maison. Ils ont plongé pour passer sous le linteau de la baie vitrée.

— Accroche-toi à la gouttière !

Elle s'est accrochée. Il l'a prise sur ses épaules.

— Vas-y ! On va monter sur le toit !

Le zinc de la gouttière fléchissait. Le vent soufflait. Sans son homme, elle se noyait. Il l'a remise au monde en la poussant sur le toit. Il a réussi à monter près d'elle.

Ils n'avaient rien sur eux que leurs chemises de nuit. Ils ont grelotté, pieds nus, sur les tuiles, jusqu'à ce que les pompiers viennent les chercher après le lever du jour. Le vent a séché leurs vêtements de nuit. Ils entendaient partout des cris : « À l'aide ! À l'aide ! Au secours ! »

Elle s'est laissée tomber dans le Zodiac. Mais son homme n'a pas bougé, tétanisé. Les pompiers ont dû monter le chercher, incapable d'un geste, en hypothermie. Ils les ont enveloppés dans des couvertures de survie, transportés dans la salle de sport, assis dans des fauteuils roulants.

— Buvez ! leur demandaient les infirmières.

Leurs lèvres étaient blanches de sel.

Elles leur avaient donné des céréales à sucer. Ils n'arrivaient pas à déglutir. Une ambulance les a emmenés à l'hôpital. La température de son mari était descendue à trente-trois degrés. Les secouristes ont voulu savoir qui ils voulaient prévenir. Leur fille, bien sûr. Mais le numéro

137

de leur fille était dans le répertoire du téléphone, au fond de l'eau. Heureusement, elle s'est souvenue, soudain, du numéro de sa vieille mère.

— *Qu'est-ce qu'on fait ? lui demande-t-il. On s'en va ?*

— *Oui...*

Le regard de la femme hésite. Elle interroge son homme des yeux et même les gens sur les marches autour d'elle.

— *Non...*

La soliste est toujours recueillie sur l'écran.

— *On est là, maintenant...*

Il ramène un peu le foulard de sa femme en avant sur le front, défait le bouton de son col.

— *Il t'étrangle, aussi !*

Elle respire mieux, paraît moins grise, tremble à peine.

— *Ça me remonte par bouffées, s'excuse-t-elle.*

Elle grimace un commencement de sourire. De l'eau mouille encore ses yeux.

— *C'est normal, dit-il.*

Une jeune femme, sur la marche au-dessus, se penche.

— *Voulez-vous boire ?*

Elle tend une petite bouteille en plastique qui n'a pas été ouverte.

— *Je n'ai pas soif.*

— *Mais si, tu as soif, dit son homme qui a pris la bouteille et dévisse le bouchon.*

Elle boit, un peu. Lui aussi. Il veut rendre la bouteille.

— *Gardez-la.*

Guillaume est vraiment allé à la coopérative le 23 octobre, puisque Alexandra dit que c'était le 23. Il avait sous le bras une pierre à sel pour les moutons et s'approchait de la caisse lorsqu'il a entendu une voix de femme derrière lui :

— Vous savez que vous avez fait pleurer ma mère ?

Il n'était pas sûr qu'elle s'adressât à lui. Il s'est retourné. Elle a répété.

— Ma mère a pleuré à cause de vous.

C'était Maryse Ollivier. Elle portait une redingote de la couleur de ses yeux bleu acier. Il n'a pas compris.

— Ma mère a vu que vous commenciez à entourer les Groies de votre clôture à moutons...

— Oui... Et alors ?

Il voulait dire : est-ce que ça vous regarde ? Elle parlait fort comme pour être entendue par les autres clients à la caisse. Elle a eu un petit sourire triste.

— Ma mère est une Labrousse. Elle est la sœur de René Labrousse. Elle est née à Lounesse...

Alexandra et Guillaume ont tout de suite aimé le hameau de Lounesse, accroché au flanc de la colline face au grand cirque des vignes. Ils cherchaient un endroit pour s'installer. Il n'y avait pas de terre pour eux autour de L'Aiguillon, pour l'instant. En prenant les chaumes de Lounesse, ils prenaient le large. Alexandra en avait assez de la manière dont certaines femmes hochaient encore la tête sur son passage. Ils n'avaient pour l'instant qu'une cinquantaine de moutons.

Les granges étaient en triste état. René Labrousse, le propriétaire, ne leur a pas dit le contraire. Il habitait la grosse maison au toit d'ardoises, presque un château, un peu plus loin, au bout du chemin. Sa femme venait de mourir. Il n'avait pas d'enfant. La photo de cette femme au sourire un peu triste trônait partout sur les meubles. Il était enchanté de voir arriver un couple de jeunes à côté de chez lui. Il avait donné ses vignes à faire et il ne s'occupait plus des landes de chaume autour des bois et de la carrière.

Alexandra et Guillaume ne se sont pas doutés qu'ils mettaient les pieds dans un compliqué conflit d'héritage. Ils étaient jeunes. Ils ont cru au bonheur dans l'éclat blond du soleil sur la terre blanche charentaise.

Le toit à quatre pans de la maison faisait exagérément le ventre. Les murs de pierre éboulés des clos étaient bouchés par des piquets et des barbelés envahis d'herbes folles. Guillaume est un adroit bricoleur. Ils ont peu à peu tout remis en état eux-mêmes. Ils ont tout fait ensemble. Ils tondaient les moutons. Peu à peu le troupeau a grossi. Guillaume allait tailler dans les vignes pour gagner un peu plus. Amandine est née. Ils l'ont sûrement faite un après-midi d'été. C'était leur heure. Ils préféraient travailler le soir à la fraîche. Ils prenaient une douche après le déjeuner. Les brebis somnolaient à l'ombre dans le bois. Ils se couchaient tout mouillés et le drap était aussitôt sec. Ils sentaient encore le mouton. La chaleur bruissait du crissement des cigales.

Ils l'ont appelée Amandine parce qu'il y avait un amandier en mauvais état contre le mur de Lounesse. Guillaume l'avait sévèrement taillé. Alex l'avait traité contre la cloque. Et il est redevenu vert. Il a allongé des rameaux superbes. Il a été couvert d'amandes.

Ils n'ont rien demandé d'autre à René Labrousse. C'est lui qui est venu leur proposer à la maison, un soir. Il a bien voulu une chaise.

— Est-ce que ça vous intéresserait de vous agrandir ? a-t-il ajouté aussitôt. Il y a les Groies. Des vieilles vignes qu'il faudrait replanter. Je n'ai pas envie de m'occuper de ça. Je vendrai les droits de plantation. Si vous voulez, vous les arrachez et vous y mettez vos moutons.

C'était la proposition rêvée. Il a même sorti de la poche-carnier de sa veste, dans son dos, une bouteille de pineau enveloppée dans un papier journal et il a insisté pour arroser ce marché qui les arrangeait. Guillaume et Alex n'ont pas compris le mauvais tour qu'il jouait à sa sœur et à son beau-frère. Guillaume a commencé par désoucher la petite pièce des Groies qu'il a clôturée. Et c'est là que Maryse Ollivier l'a interpellé à la coopérative.

— Les Groies ont été plantées par mon grand-père. Vous ne savez pas qu'elles ne sont pas si abîmées que ça ?

Elle s'adressait en même temps aux vendeurs et aux clients qui souriaient et semblaient prendre son parti.

— Les côtes des Groies sont parmi les meilleures de la Grande Champagne. Vous n'allez pas arracher les vignes pour y mettre vos moutons ? Les moutons sont bien sur les chaumes...

Il continuait de s'avancer vers la caisse avec sa lourde pierre à sel.

— Mon oncle perd parfois les pédales depuis qu'il vit tout seul comme un sauvage. Ma mère voudrait l'aider. Sa maison, la maison de ma mère, est dans un triste état. Ce n'est pas bien de profiter de la faiblesse d'un homme démuni.

— Je ne profite pas. Je loue à votre oncle. Si les Groies sont à lui, il est libre d'en disposer comme ça lui plaît.

— Ah, vous croyez ça !

Il est sorti du magasin. Il a vu que les conversations continuaient à l'intérieur et il n'était pas content de lui.

Il arrivait à Lounesse en ruminant la scène de la coopérative et il se préparait à la raconter à Alexandra lorsqu'une voiture l'a klaxonné. Il a reconnu la décapotable de Maryse Ollivier. Qu'est-ce qu'elle voulait encore ? Elle l'a klaxonné à nouveau, lui a fait des appels de phares. Il s'est arrêté. Elle est tout de suite venue à sa portière.

— Je regrette ce qui s'est passé tout à l'heure. Est-ce qu'on peut parler deux minutes ? Je ne vous

invite pas dans ma voiture, elle sent les chrysan-
thèmes que je viens d'acheter.

— Et la mienne le mouton ! Vous n'aimez pas
le mouton !

— Qu'est-ce qui vous fait dire ça ? J'adore le
mouton.

Elle est montée dans la voiture de Guillaume, lui
a raconté la vieille histoire de jalousie entre sa mère
et René, son oncle. Comme René n'avait pas eu
d'enfant, les Ollivier pensaient naturellement récupérer les terres de Lounesse. Et René Labrousse se
vengeait en donnant ses vignes à arracher.

— Qu'est-ce que vous voulez que j'y fasse ?

— J'aime bien mon oncle, a dit Maryse. J'ai de
merveilleux souvenirs de vacances à Lounesse.
Comme ils n'avaient pas d'enfant, ils me prenaient
avec eux.

— Et alors ? Vous voudriez bien aussi hériter de
ses terres ?

— J'ai téléphoné à mon père. Il serait prêt à vous
céder les chaumes qu'il a, tout près, à condition
que vous lui laissiez les vignes des Groies.

— Mais les vignes des Groies ne sont pas à lui.

Elle a posé la main sur le bras de Guillaume.

— On peut toujours essayer. Promettez-moi
d'arrêter d'arracher en attendant que mon père ait
vu l'oncle René.

Guillaume avait déjà croisé Maryse Ollivier et il
avait échangé quelques mots avec cette grande fille
de famille sûre d'elle. Elle lui avait appris qu'elle
voyageait pour le commerce du cognac à l'interna-
tional. Et là, tandis que ses doigts étaient posés sur
son bras et qu'elle le fixait, tandis qu'il avait les clés

de sa voiture à la main, il était tenté de s'aventurer vers quelque chose qu'elle ne semblait pas prête à lui refuser. Il était conscient qu'il ferait bien de s'abstenir d'y toucher.

Il a fini par hocher la tête.

Elle a pressé son bras et le frisson d'un sourire a effleuré sa bouche bien faite. Il a pensé qu'elle était fière d'avoir gagné. C'est ce qui l'a décidé. Il a mis le contact à sa voiture.

— Vous connaissez la combe des buis ?

— Je n'y suis pas allée depuis que je venais en vacances chez ma tante.

Il a mis le contact. Elle n'a pas cherché à descendre.

Quand il est rentré à la maison, il a raconté à sa manière ce qui s'était passé à la coopérative. Il a expliqué à Alexandra, sans rien voir de son visage ravagé, qu'il attendrait pour continuer d'arracher que les deux beaux-frères se soient parlé. Il a repris les paroles répétées par René Labrousse : « Tu peux aller au fin fond de la Sibérie, sur la muraille de Chine, dans les tribus d'Amazonie. Tu dis : cognac. Les yeux s'allument. On ne devient pas Champagnot, on le naît ! »

Trois jours après, il a vu arriver le père Ollivier avec son 4 × 4. Il n'est pas resté longtemps chez René. Guillaume, qui le guettait devant le porche, l'a vu sortir dans la cour, filer vers sa voiture et démarrer en faisant gicler les pierres.

Le 4 × 4 a frôlé Guillaume au risque de le renverser et pilé aussitôt. Il a fait marche arrière. Le père Ollivier a sorti le bras, la figure rouge, le doigt tendu, à la portière.

144

— Laisse les Champagnots régler leurs problèmes entre eux ! Tu as compris ?

L'herbe du bas-côté a fusé sous ses pneus. Alexandra, sur le seuil, l'a entendu. C'est comme ça que l'idée du tag lui est venue.

— Tu savais que ton inscription sur le portail allait nous faire partir de Lounesse ?

— Je ne savais rien. Je ne savais pas ce que je faisais. Je faisais.

— Je n'ai pas imaginé une seconde...

— Tu aurais dû...

Ils ont fait le voyage à L'Aiguillon quelques jours après pour aller sur les tombes à la Toussaint. Ils ont appris que la cabane de la Prée était disponible. Là encore tout était à reprendre. La maison n'était plus habitée. Mais ils avaient un beau troupeau de brebis à têtes noires qu'ils emmenaient avec eux. Ils savaient ce que c'était de construire ensemble. Ils venaient de fêter les deux ans d'Amandine. Guillaume a dit à Alexandra :

— Ça sera la lutte du pot de terre contre le pot de fer, si nous restons à Lounesse. On y laissera des plumes.

Elle lui a répondu :

— Et peut-être plus que ça !

Il se rappelle les paroles d'Alexandra qui lui avaient tant plu, alors qu'ils étaient allongés pour la sieste, un après-midi de Lounesse : « L'amour, c'est comme une épée qui vous pénètre. » Il l'a pris comme un compliment pour ce qu'ils venaient de faire. Il n'a pas tout compris. Il n'a jamais rien compris. Elle a écrit sur le portail à cause de ce qu'elle a vu dans la combe des buis et maintenant ils sont là, et leurs moutons baignent dans la bergerie de la Prée.

— Nom de Dieu de nom de Dieu !

Guillaume se lève et éclaire le ciel de sa lampe torche pour répondre à l'homme qui appelle au secours. Car il a recommencé à appeler. Et il n'est pas le seul. Des cris s'élèvent d'un peu partout dans le lotissement, maintenant que le vent est tombé.

— À l'aide ! À l'aide ! Au secours !

Il essaie de leur répondre. Il met sa main en porte-voix.

— On est là !

— Où ?

— Là !

Sa lampe est un projecteur dérisoire qui ne rassure personne.

— Qu'est-ce qui t'arrive ? s'écrie Marie Montauran.

Elle rattrape Jean-Jacques au vol. Il glissait lentement sans réagir sur la bonnetière.

Le grand-père tousse, crache. Il a commencé à boire la tasse. Il s'endormait.

Jérémie crie, l'étrangle en pleurant. Lui aussi était sur le point de boire la tasse. Ses pleurs ont alerté Marie.

Jean-Jacques n'avait plus froid, ni peur. Ni rien.

Son père et sa mère étaient là, avec eux, au Génie.

C'était curieux. Il ne se souvient pas de sa mère en maillot de bain. Et pourtant, cette fois, elle en portait un, une pièce, à rayures. Elle était mince, fine, jeune comme Jean-Jacques la voyait quand il était petit. Et il sentait bien, aux regards que son père lui lançait, qu'il était amoureux d'elle.

L'étrange, c'est que Jean-Jacques avait l'âge de ses parents. Mais ça n'était pas un problème.

Ils étaient partis se baigner un peu après la digue en face des dunes des Sablons. La mer était haute. Il faisait beau. La mère de Jean-Jacques n'a jamais nagé mais, cette fois, ils crawlaient tous les trois au même rythme vers l'îlot de sable à l'avant de la pointe d'Arçay. L'eau était si limpide qu'en nageant il voyait distinctement son ombre se projeter sur le sable du fond. Il a pris un peu d'avance sur ses parents et, en touchant le sable de l'îlot, il leur a crié :

— La mer a le goût des moules.

— C'est l'inverse ! lui a répondu son père. Les moules ont le goût de la mer !

Il s'est laissé couler. Il a ouvert la bouche pour en savourer la texture. Elle était fraîche, agréable. Il la buvait.

— Oh !!!

Marie le secoue encore.

— Tu ne vas pas dormir, Jean-Jacques !

— Non.

— Mais tu étais sur le point.

— Je rêvais.

— Ce n'est pas le moment de rêver.

— Non.

— Secoue-toi ! Remue-toi !

Il grelotte. Elle lui frappe l'épaule.

— Tu me fais mal.

— Je le fais exprès. Pense que tu as Jérémie sur tes épaules et que tu en es responsable.

— Oui.

— Ça va mieux, Jérémie ?

— L'eau est froide, répond Jérémie en pleurant et grelottant comme son grand-père.

Des gouttes ruissellent de la serviette mouillée qui ne le couvre plus. Jean-Jacques essaie de la tordre. Claire pleurniche sur le dos de la grand-mère, parce que son frère pleure.

— Excuse-moi, Jérémie... Je ne recommencerai pas... Plus le temps passe, plus on a de chances de s'en sortir...

— C'est vrai, dit la grand-mère.

— Je rêvais que j'étais avec mon père et ma mère...

— Raconte pour te tenir éveillé.

— Tu es plus résistante que moi... Je ne l'aurais jamais cru... Je suis glacé jusqu'à l'intérieur du corps. Si on y voyait un peu... Je ne sais pas quelle heure il est. Comment va ton bras ?

— T'inquiète pas pour mon bras.

— Ton épaule...

— Claire est sur mon épaule.

— Je les voyais comme à huit ans. Ma mère était jeune... Tu ne sais pas comme elle était jeune quand elle était jeune... Elle était brune... On oublie qu'on a eu des parents si jeunes... Elle nageait comme un poisson. Le soleil était au milieu du ciel, sans un nuage... Tu ne l'as pas connue à cette époque-là... Elle crawlait lentement, les cheveux ruisselants, comme si elle comptait ses mouvements...

— Oh !!!

La grand-mère lui frappe l'épaule.

— T'endors pas !

— T'endors pas, grand-père ! hurle Jérémie.

Jean-Jacques se redresse.

— C'est un mauvais moment à passer. Ça va revenir. Les forces vont revenir... Ça m'est arrivé quelquefois de m'endormir en conduisant... Il y a un moment difficile. Je m'endors. Je crois que je vais être obligé de m'arrêter. Je lutte. Et puis, tout d'un coup, ça y est, j'ai franchi le cap. Je conduirais sans arrêt jusqu'au bout de la nuit... Mais ne frappe pas aussi fort. Tu m'as fait mal.

— Je frapperai plus fort s'il le faut.

— Tu as raison... Tu es forte...

— Non, je ne suis pas forte !

Épargnez les enfants, mon Dieu ! Si l'un ou l'autre d'entre nous ne devait pas survivre, que ce soit moi. Épargnez les petits qui n'ont pas commencé à vivre. Ce ne serait pas juste qu'ils meurent. Aidez-moi, si possible, à résister pour les sauver. Aidez Jean-Jacques qui est fatigué !

S'ils devaient mourir avec nous, aidez Simon et Sophie. Aidez-les à continuer à vivre. Faites que Sophie ne nous en veuille pas. Faites qu'ils ne nous condamnent pas, ne se déchirent pas, ne désespèrent pas.

Sauvez-nous !

La grande fille, très rousse, aux cheveux frisés sous un béret, arrivait généralement quand Bobby et Julie se préparaient à chanter et jouer au *Molly Malone*. Elle s'installait à la table devant eux, commandait une stout et un verre de rhum.

Cathy, elle s'appelait Cathy. Elle versait le rhum dans la stout. Elle repoussait en arrière la peau de renard agrafée sur le décolleté de sa robe. Une peau de renard entière couleur de ses cheveux avec des petits yeux de verre sur la tête qui fixaient les globes gonflés et laiteux des seins de Cathy.

Julie s'asseyait près de Cathy, à la pause, à cause de ce renard. Elle versait, elle aussi, le rhum blanc dans la bière couleur de tourbe « pour l'éclaircir », tendait la main comme vers un feu pour toucher les pattes et le poil du renard avant de retourner sur la scène.

Elle a porté, petite fille, un renard comme celui de Cathy, un peu moins flammé, plus brun.

Il venait de la tante Irène. Des photos montrent la tante, jeune, assise sur une barrière, avec ce renard autour du cou et un chapeau à la mode de l'après-guerre. La mère de Julie avait enveloppé cette peau dans du papier de soie et Julie avait l'interdiction d'y toucher.

En vieillissant, la peau était devenue cassante, les poils s'arrachaient. Lorsque sa mère s'absentait pour les courses ou pour prendre le café chez la voisine, Julie montait sur une chaise et attrapait le renard dans l'armoire. Elle fixait les petites agrafes à crochets autour de son cou.

Elle jouait à la dame en se regardant dans la glace, prenait des airs, se saluait. De petits trous creusaient le cuir du renard par endroits. Elle respirait comme un parfum son affreuse odeur d'antimites.

La chaleur de Marinette enroulée autour de son épaule la ramène à Cathy et au renard de tante

Irène. Un jour, elle a demandé à sa mère ce qu'était devenu le renard de la tante. Sa mère lui a répondu qu'il était si mangé par les bestioles qu'elle l'avait mis à la poubelle.

Marinette sursaute quand Julie bouge, sort ses griffes, s'abandonne à nouveau.

Grâce à elle, sa gorge est encore chaude. Ça la rassure. Elle a encore quelque chose de vivant. Bobby se penchait à l'oreille de Julie entre deux chansons : « Combien de taches de rousseur, Cathy ? J'ai toujours aimé les vraies rousses ! » « Ne t'occupe pas des rousses, chante ! » Bobby riait. Le violon de Julie attaquait la chanson suivante.

Elle a souffert de sa fuite, comme s'il l'avait jetée.

Elle promène dans le poil de Marinette le doigt qu'elle mouille pour pincer les cordes du violon et éviter la surchauffe. Elle a ce geste, vingt fois dans une soirée, de se sucer l'index pour le faire glisser plus facilement. En est un peu honteuse. C'est Françoise qui lui a soufflé le truc.

Elle voit avec une netteté stupéfiante la partition du rondo de Mozart de son concours de conservatoire qu'elle croyait avoir oublié, l'entend. Elle est sûre qu'elle pourrait le jouer en ce moment les yeux fermés. Elle se rappelle même l'accompagnement du pianiste.

Ses doigts glissent. L'archet arrache la musique déchirante. Elle avale les notes sans trembler. Son violon n'a jamais aussi bien sonné.

Il n'est sans doute encore pas trop tard. Elle est jeune encore. Demain elle tournera la page de ses vagabondages. Elle ira trouver Françoise qui l'aidera à retrouver son niveau. Elle n'a pas tout perdu pendant ces années fichues en l'air. Elle gagnera une place de violon dans un orchestre.

Le second mouvement du rondo est beau à pleurer.

Le doigt de Julie gratte la tête de Marinette entre les oreilles.

Tu es d'accord, Maurweenatte, pour qu'on essaie ensemble ?

Les notes du rondo se déforment, dérapent. Le rythme aussi, qui s'emballe, s'accentue, s'endiable. L'air s'encanaille, prend des allures populaires. On apporte des bières à pleines mains. Elle joue *O' Keffe's Slide,* la ballade qui mettait tout le monde debout au *Molly Malone.*

10.

Alexandra demande à Guillaume si l'eau descend.

— Non.

C'est le premier mot qu'ils se disent depuis une heure peut-être, comme s'ils s'étaient tout dit. Ils ne se parlent plus. Elle a eu l'impression de mieux respirer pendant qu'elle racontait Lounesse. Mais maintenant elle se demande si ce n'est pas pire. Elle a soif. Si ça continue, elle va mourir ou se jeter par le trou de la trappe dans l'eau pourrie.

Elle essaie de ne pas bouger. Ce serait merveilleux si elle pouvait dormir. Elle se laisse glisser un peu plus dans la laine de verre en évitant de déplacer Amandine endormie sur sa poitrine.

D'autres sont dans des situations bien plus pénibles. Les appels au secours, dehors, ont remplacé les bourrasques de la tempête. Ils n'arrêtent plus, montent de partout, des voix d'hommes, de femmes, d'enfants, peut-être, quelquefois.

On dirait des voix d'âmes qui errent à la surface de l'eau.

— Au secours ! Au secours !

— À l'aide ! À l'aide !

Alexandra se dit qu'elle sera hantée toute sa vie par ces voix.

Quand un cri monte plus fort ou plus désespéré, Guillaume se lève, sort la tête par-dessus le toit comme s'il surgissait de l'eau. Il grogne, une tuile glisse et cascade, leur répond.

Il en a repéré sur leur toit. Ils se sont crié quelques mots.

— Vous êtes là ?

— Oui.

— Vous avez froid ?

— Oui.

Amandine s'est redressée.

— Dors, chérie, dors.

Guillaume regarde le ciel fraîchement lavé par la tempête. La lune fait resplendir l'eau. Quand les pompiers arriveront-ils ? Il n'y a pas une lumière, aucun signe de vie.

Il pense à sa mère qui vit seule dans le bourg depuis la mort de son père. Il aurait dû l'appeler, mais elle n'est pas toute seule. Les voisins font partie de la famille, ils entrent et sortent de la grande maison remise en état avant la mort du père, comme chez eux. Si elle a beaucoup d'eau, alors c'est la fin de L'Aiguillon. Elle doit s'inquiéter à leur sujet.

Il pense à son père. Il parle beaucoup plus avec lui depuis qu'il est mort. Il regrette de ne pas l'avoir davantage accompagné. Son père l'invitait à le suivre à la chasse aux escargots dans les moutardes sur les digues de terre et il ne l'a pas souvent suivi.

Quelques gouttes de pluie qui cinglent lui rentrent la tête. Il a froid. Sa chemise est pourtant, d'habitude, toujours ouverte, même en hiver. Il serre sur lui, en se repliant, le sac-poubelle.

Il se demande s'il n'est pas passé complètement à côté de sa femme. Il était au courant des vagabondages de sa jeunesse. Il n'a pas été un ange non plus. Il l'a crue apaisée, calmée, depuis qu'ils vivaient ensemble. Elle a été une épouse aimante. C'est pourquoi il n'était pas fier de ce qui s'était passé à la combe des buis et il cherchait à l'oublier. Alexandra tient mieux que lui les comptes de leur bergerie. Amandine adore sa mère. Il pioche machinalement une bouchée de pain qu'il ne porte même pas à sa bouche. Est-ce qu'enfin le jour va finir par se lever ?

Alexandra voudrait qu'il la regarde. Elle entend battre son cœur dans sa gorge en feu et son ventre douloureux, cherche la petite main de sa fille. Elle est chaude devant, grâce à Amandine, mais son dos et sa nuque sont froids.

Elle ferme les yeux. Elle voudrait ne plus écouter ces voix qui s'épuisent dehors à appeler et appellent sans cesse.

Elle ne sait pas pourquoi elle revoit, gonflées par des heures d'entraînement et, peut-être, les produits dopants, les cuisses de sa rivale aux championnats régionaux. Elle revoit le regard prétentieux et provocateur de cette fille quand elle a mis les pieds près d'elle dans les starting-blocks.

La Champagne aux Champagnots. Va-t'en ! Elle n'avait rien écrit dans sa tête, rien prévu avant. Elle avait un goût amer dans la bouche. Ils étaient en train de gagner ensemble. Elle ne croit pas être méchante. Elle n'a jamais été gentille, obéissante, raisonnable « pour faire plaisir ».

La mort de sa mère l'a rendue « impossible », comme dit son père. Quand des larmes de rage l'emportaient, avant, il suffisait que sa mère la prenne à part et lui parle pour qu'elle fonde dans ses bras.

— Nom de Dieu ! murmure Guillaume.

Elle ouvre les yeux, se redresse en sursaut, se cogne à la fermette. Une buée de lumière cendreuse cerne Guillaume debout dans le trou du toit. Elle ne sait plus où elle est. Elle a mal partout, a froid. Elle a dû somnoler.

— Nom de Dieu ! répète Guillaume.

Amandine pleure.

— Regarde...

Elle se lève. Un millier d'aiguilles lui percent le corps.

Guillaume lui laisse la place.

— On dirait des bagnards !

Elle hallucine dans le petit matin violet.

Elle voit un défilé sans fin de revenants qui marchent sur la digue de terre au bord de la rivière. Ils ont de l'eau jusqu'aux genoux, se suivent, à la queue leu leu, comme s'ils étaient sortis se promener, mais ils baissent la tête en regardant leurs pieds. En silence.

Des ombres. Quelques-uns sont chargés de sacs. D'autres portent des enfants à leur cou. Certains sont presque nus. Le vent soulève leurs chemises

Ils passent devant Alexandra qui les regarde de son toit, tout près, mais ils ne semblent pas la voir.

Ils continuent à remonter la digue en direction du terre-plein de la route, là-bas, au loin. Ils toussent, glissent parfois. Des couples se soutiennent par le bras. Un brouillard bleu, léger comme une respiration, glisse de la rivière sur eux.

Alexandra a envie de vomir. Une étoile pâlit dans le ciel au-dessus d'eux. Un vrombissement de moteur grandit. Un hélicoptère. Il traîne quelque chose au-dessous de lui. Quelqu'un. Un sinistré dans les bras d'un homme en rouge au bout d'un fil.

Un gémissement, un son douloureux monte dans le silence. Alexandra pense à Amandine et se retourne. Elle se rend compte que ce cri vient d'elle.

Ce gémissement sort de sa poitrine.

Elle regarde alentour. Des toits, des toits, elle ne voit que de l'eau et des maisons noyées jusqu'aux toits. L'eau est grise, presque noire, avec des éclats métalliques dans les vagues soulevées par la brise. Les toits de tuiles reposent sur les lignes ténues des murs blancs. Les plus anciennes maisons n'ont pas dix ans. La digue où marchent les rescapés n'est par endroits qu'une croûte luisante et noire, une cicatrice au milieu de l'eau.

Un couple de vieux épuisés s'arrête et la regarde regarder, le visage hébété. Les autres derrière s'arrêtent aussi. Alexandra retient sa plainte, abandonne la place à Guillaume, reprend Amandine dans ses bras.

Il parle à quelqu'un. À qui ?

157

Philippe !

Elle se relève pour voir. Philippe, leur camarade, leur ami, est venu avec sa yole. Philibert... Il la pousse au bord de la maison.

Le ciel bas s'est empli d'une bourre triste à filaments charbonneux déformés par le vent. Le silence est mou, moite, plein de bruits sourds de frôlements, de tintements, de clapotis, de ressac, de toux d'hommes encore sur la digue.

— Vous y allez ? demande Philippe en maintenant sa yole contre la gouttière.

— Toi la première, dit Guillaume à Alexandra. Je te passerai Amandine.

Il faut monter sur les tuiles mouillées. Il la soutient par les hanches. Les sacs-poubelle autour de ses pieds glissent. Elle les arrache, descend, pieds nus, lentement, accroupie, presque assise, tuile après tuile.

Philippe la reçoit dans ses bras.

Guillaume se hisse à son tour avec Amandine. Il a aussi enlevé les sacs-poubelle. Il est lourd. Une tuile décroche sous ses pieds. Il tend Amandine à Philippe qui la reçoit. La barque tangue. Alexandra serre Amandine et s'assoit sur le banc. Guillaume descend dans la yole.

— Assieds-toi aussi, lui commande Philippe alors qu'il pousse avec sa perche pour s'éloigner du mur.

Alexandra claque des dents, tremble.

— C'est fini, lui dit Philippe.

Il est bâti comme Guillaume, en plus court, râblé, un petit taureau des bouchots. Sa perche est longue mais elle s'enfonce tout entière dans l'eau. Sa main suit, son poignet.

Leur fourgonnette a de l'eau par-dessus le toit.

— Les Murail ! murmure Alexandra.

— Oui, les Murail, reprend Guillaume. Ils étaient sur leur table de cuisine.

Philippe pousse la yole au-dessus du muret des Murail, tourne autour de la maison aux volets clos. Il y a le petit hublot à verre dépoli de la salle de bains. Il cogne avec la perche. Le verre sécurite résiste, s'étoile. Il recommence, ouvre un trou minuscule.

— Robert ! crie Guillaume, la bouche contre le trou. Monsieur Murail !

Il appuie son oreille.

— J'entends quelque chose... C'est Guillaume ! Guillaume Clemenceau !

Il colle à nouveau son oreille, sa figure bleue de barbe s'éclaire.

— Il parle ! Je l'entends !

— On va revenir, dit Philippe. Le portail du garage est en plastique. On va apporter ce qu'il faut.

— On revient ! crie Guillaume au trou. Votre femme est avec vous ?

Il écoute.

— Je ne sais pas ce qu'il m'a dit.

Ils partent, un peu moins tendus, comme si un début de rayon de soleil avait percé le ciel. Philippe quitte le canal de la rue et coupe au-dessus des cours et des jardins. Il pousse lentement, la perche comme un gouvernail.

— Le moteur est au fond de l'eau. Heureusement, j'avais cette perche.

— Les Blanchet... murmure Guillaume.

Leur girouette ferraille sur leur cheminée. Une gardienne d'oies menant son troupeau. Elle a résisté à la tempête.

— Eux... Tu les connais, le vieux dans son fauteuil roulant...

Et aussitôt c'est comme si le ciel s'était assombri.

Ils évitent des voitures noyées, tournent autour de caravanes retournées et brisées, passent sur des clôtures de brande renversées, des murs de cour détruits. Le niveau de l'eau baisse à mesure qu'ils s'éloignent. Des portes sont béantes. Des volets claquent. Des amas de détritus bloquent le passage.

Un moteur ronronne et les rejoint. Un Zodiac rouge des pompiers les double, des couples hagards blottis au fond.

Les véhicules de secours attendent sur le sec. Médecins, infirmiers, gendarmes, pompiers accueillent les sinistrés qui débarquent en chemises de nuit, pyjamas, robes de chambre, slips et soutiens-gorge, grelottants, épuisés, sans voix, le regard sans regard. Il n'y a, toujours, presque pas de bruit, sauf ceux des portières, des civières qu'on roule, les mots des infirmiers, des secours.

Pas de cris. Pas de plaintes. La nuit a été trop longue. Les victimes sont à bout. Elles n'ont plus la force.

La femme de Philippe, Martine, est là. Elle serre Alexandra et Amandine dans ses bras, les embrasse. Une infirmière enveloppe leurs épaules dans une couverture, les accompagne dans le camion.

— J'ai soif.

— Vous êtes pieds nus.

Les pompiers roulent un brancard avec un corps enveloppé dans des draps blancs.

— Les Murail... dit Philippe.

— Je vais avec toi... dit Guillaume.

Il a encore son sac-poubelle déchiré sur les épaules.

— Il faut que je trouve des chaussures.

— J'ai soif...

L'infirmière apporte une bouteille d'eau à Alexandra. Elle croyait la boire d'un coup tout entière. Mais elle cale sitôt la première gorgée. Quelque chose se referme dans sa gorge, un clapet. Elle s'engoue, s'étrangle.

— Prenez votre temps, murmure l'infirmière.

Amandine tète à la bouteille.

Guillaume et Philippe vont dans la maison des riverains où les secours entrent et sortent, où des rescapés se réfugient. Il sort avec des bottes noires, une vareuse de chasse. Philippe porte un pied-de-biche, un marteau, une lampe frontale.

Ils s'arrêtent au camion d'Alexandra et d'Amandine.

— On y retourne.

Il boit aussi une gorgée.

Ils reprennent la barque en bois étroite, au nez relevé, badigeonnée au carbonil, la yole. Un trio de plongeurs en combinaisons rouges s'enfonce dans l'eau boueuse et visite les maisons les unes après les autres pour vérifier si elles sont habitées.

On dirait que le jour refuse de se lever. Le plafond reste violacé. Le vent brasse l'odeur de fuel, de pourri, « de cimetière », a dit une femme dans le camion.

Alexandra a demandé le téléphone de son amie Martine. Elle a eu Clémence qui lui a donné le numéro des paysans de la Dive.

— Allô, papa ! Tu es où ?

Elle hoche la tête, pousse un long soupir.

— Oui... oui... Ça va... On est dans le camion des pompiers... Oui, Amandine est avec moi. Nous on est sauvés... Reste où tu es... Oui. D'accord. Le fourgon vient de démarrer. Je ne sais pas où ils nous emmènent. Je te rappellerai, papa.

Elle rend le téléphone.

— Il est sur la Dive, murmure-t-elle. Il a eu de la chance. Clémence n'a rien. Ils sont sortis voir, tout à l'heure. Il dit que c'est terrible. La mer recouvre les marais jusqu'à Saint-Michel. La Dive est redevenue une île. L'Aiguillon est cerné. La Pointe est recouverte. La digue a craqué par endroits...

Vlom, vlom, vlom, vlom...

Les pales de l'hélicoptère de la gendarmerie cognent contre le dur de l'air. Il suit le mur de la grande digue de défense, passe les Caves, tourne un moment autour de la ruine de la maison du Génie, remonte vers les Sablons. Les deux passagers, derrière le pilote, se penchent au-dehors pour mieux voir.

— Devant, à gauche ! Le poteau électrique !

L'hélicoptère pivote lentement, s'approche, descend. Le souffle de ses ailes creuse l'eau, la soulève.

Julie entend les cognements de la batterie de son

groupe de musique. Marinette miaule, effrayée, et descend se réfugier contre la poitrine de Julie.

Les gendarmes appellent leurs collègues du poste de secours et demandent de dépêcher un Zodiac à la sortie des Sablons pour secourir une femme accrochée à un poteau électrique. Julie les voit. Ils lui font de grands signes.

Ils restent à lui tourner autour et le sifflement du moteur, le battement des pales la fatiguent et lui rappellent la tempête.

Et puis le Zodiac des hommes en rouge arrive vite. Ils sont deux, qui s'amarrent au poteau en lui parlant, doucement. On dirait qu'elle ne les entend pas.

— Vous étiez dans une maison des Sablons ? Vous étiez toute seule ? Vous vous appelez comment ?

Ils continuent :

— Choquée... vous êtes choquéc... C'est normal. Il y a longtemps que vous êtes ici ?

Elle ne bouge pas. Elle est tétanisée. L'un des deux monte les trois degrés du poteau qui séparent Julie de la surface de l'eau.

— Il est gentil, votre chat ? Il ne va pas se sauver ?

Marinette s'est pelotonnée dans le châle vert. Seules ses oreilles dépassent. Elle siffle, menaçante.

Le secouriste a du mal à desserrer les membres tétanisés de Julie, ses mains crispées sur le poteau. Elle n'arrive pas à déplier ses doigts comme incrustés dans le béton. Il les lui déplie, un à un.

Et puis, soudain, elle s'abandonne dans les bras de l'homme, les muscles brutalement détendus, comme un pantin, lourde, comme un corps mort.

— Attention ! s'écrie le pompier, surpris, qui part en arrière et se cramponne.

Il la descend, essaie de l'asseoir au fond du Zodiac où elle se laisse choir.

— Là, ça y est. Vous n'avez plus rien à craindre. On va s'occuper de vous, maintenant...

Ils lui enveloppent les épaules avec une couverture de survie dorée.

— Y avait-il quelqu'un avec vous ? Vous étiez là-haut depuis le milieu de la nuit ?

Marinette a sorti la tête du châle et les regarde. Julie se met à tousser. Elle est grise comme le jour, le tour de la bouche blanc de sel et les taches de rousseur autour des yeux font comme des gouttes de boue. Elle regarde l'eau écumante, jaune sale autour du Zodiac.

— On dirait de la bière...

— Comment ?

Elle a parlé. Elle parle !

— On dirait de la bière...

Ils regardent l'eau agitée, bouillonnante, boueuse.

— Voulez-vous enlever vos cagoules ?

Ils renvoient leurs cagoules en arrière, dégagent leurs oreilles, leurs cheveux coupés à ras.

— Des hommes...

Ils lui sourient.

— Vous n'avez pas une cigarette ? J'ai eu envie d'une cigarette toute la nuit.

La voix de Julie est un râle rauque de fond de gorge.

Ils secouent la tête, démarrent le Zodiac. L'hélicoptère tourne plus loin au-dessus des Sablons. Ils longent à vive allure la digue. La vague de leur sillage se répand loin sur le marais recouvert.

— Un étui à violon peut-il être étanche ?

Ils se regardent encore, haussent les sourcils. Ils arrivent à L'Aiguillon, aux voitures, aux véhicules de secours. Le pompier qui a décroché Julie fait signe à son collègue : attends un peu, ne bouge pas. Il revient vite, avec un paquet, des cigarettes, un briquet.

— Elles sont à un copain.

Elle prend une cigarette, remercie. Il approche la flamme. Elle ferme les yeux, avale la fumée, tousse, grimace.

— Ça me donne le vertige...

— Ça ne m'étonne pas !

Il lui reprend la cigarette, écrase le bout rouge. Ils la soutiennent quand elle veut se lever.

— Vous allez tenir debout ?

— Je l'ai été toute la nuit.

Elle se dresse, titube, s'appuie sur leurs bras pour enjamber le bord du bateau.

— Merci.

Guillaume fait sauter la porte de plastique du portail des Murail avec le pied-de-biche. Le portail coulisse. C'est déjà un miracle qu'il ait résisté.

Ils se baissent, s'aplatissent, pour entrer dans le garage avec la yole. L'eau est à moins d'un mètre du plafond. La voiture des Murail est recouverte.

— C'est nous, on vient vous chercher !

Ils voudraient pousser dans le couloir la barque étroite qui frotte le bâti de la porte. Il fait trop noir à l'intérieur. La yole se bloque contre une multitude d'objets qui flottent. Guillaume enfile la lampe frontale et l'allume, écarte une étagère, le frigo, des bouteilles.

— On ne passera pas. J'y vais, Philibert. Je suis plus grand que toi.

— Tu pourras, après une nuit comme ça ? C'est plutôt à moi.

Guillaume ôte bottes, pantalon, vareuse.

— Où êtes-vous ?

Il entend au fond un murmure de voix. Il se glisse dans l'eau, grogne, jure.

— Bon Dieu ! Je ne m'y habitue pas !

Il parle en s'avançant dans le couloir, pour rassurer les vieux et se donner courage.

— Me voilà... La tempête est finie. Dehors, il fait jour...

L'air vicié dans la cuisine, l'eau croupie jusqu'au menton, il étouffe. Il s'emmêle dans la pyramide de chaises.

— Bon Dieu !

Comment ont-ils réussi à survivre ? Il éclaire les deux vieux assis sur la même chaise montée sur la table du passe-plat. Plus précisément, la femme est sur les genoux de son mari, dans l'eau sale jusqu'aux épaules et lui jusqu'au cou.

— Ne bougez pas. Je vais vous prendre sur mon dos.

Il se glisse sous la vieille dame.

— Laissez-vous aller.

Elle n'arrive pas à se laisser aller. Il la soulève, la charge sur ses épaules. Le grand-père se redresse un peu.

— La table de la cuisine était trop basse. Il n'y avait pas de place pour deux chaises sur le passe-plat.

— Oui. Je reviens.

Il emporte la grand-mère jusqu'à la yole, repart, revient avec le grand-père qu'ils assoient auprès de sa femme sur le banc. Il réenfile pantalon, chemise, vareuse, bottes, pâle et grelottant soudain comme les vieux.

— Je ne sais pas si je recommencerais une autre fois, Philippe...

Ils sortent à la lumière du jour. S'il ne les avait pas tirés de leur cuisine, il ne les reconnaîtrait pas. Ils sont rétrécis, hagards, ridés, suffocants, serrés l'un contre l'autre, le regard traversé d'ombres folles.

— Elle n'a plus la force de parler... chevrote le grand-père.

Lui non plus. Il a du mal. Affaissé sur le banc, le teint vert dans sa robe de chambre collante, la chevelure blanche hérissée, il serre la main de sa femme comme s'il craignait qu'elle glisse à nouveau dans l'eau.

Philippe adresse de grands signes à des plongeurs qui poussent un Zodiac chargé de rescapés.

— On vient de les sortir de leur maison. Ils étaient dans l'eau jusqu'au cou...

Les secouristes ont encore des couvertures de survie dans leur Zodiac. Ils les mettent sur les épaules des Murail.

— Suivez-nous. On vous accompagne au poste de secours.

— Il y a, dans cette autre maison, dit Guillaume,

167

un hémiplégique et sa femme. Je ne nous sens pas d'y aller voir.

— On va s'en occuper, monsieur.

— On devrait être morts ! chevrote le grand-père.

— Vous êtes vivants !

Les gens sur le Zodiac se taisent. Philippe et Guillaume connaissent ces familles. Tout le monde se connaît dans le lotissement. C'était un village. Ils se regardent. Il y a un chien avec eux. Les seuls bruits sont ceux de l'eau, des tôles qui vibrent sur un toit, et les moteurs des hélicoptères qui viennent et repartent.

Les têtes des arbres émergent, les crinières ébouriffées. Un nuage traîne sa fumée au ras de l'eau. Un pompier en combinaison de plongée trace un rond rouge à la bombe sur le mur blanc de la maison qu'il vient de visiter. Il écrit : « Vu ».

11.

Camille fonce à travers la salle omnisports. Elle vient de reconnaître son amie du casino, Julie, allongée sur un lit de camp au milieu des autres, yeux fermés, les cheveux jaunes tire-bouchonnés sur le front et les joues, enveloppée dans sa couverture dorée de survie. Elle ne se demande pas si elle dort.

— Je t'ai cherchée ! Je t'ai cherchée partout !

Elle s'agenouille, la prend dans ses bras, pleure.

— J'étais folle d'inquiétude !

— Doucement ! J'ai mal à mon épaule !

— Tu n'imagines pas ce que j'ai pensé à toi ! Dès que l'eau a monté, je m'en suis voulu de t'avoir laissée partir. Tu étais toute seule aux Sablons.

— Je n'ai jamais pensé que j'allais mourir...

Julie sourit. Camille rit en pleurant.

— J'ai essayé de te téléphoner. Tu sais comment je t'ai retrouvée ? J'ai dit que tu avais un chat...

Elles rient de plus belle. Leurs rires nerveux les secouent. Julie pleure à son tour.

— Je suis fatiguée.

— Dès que l'eau a monté, je me suis sentie coupable, répète-t-elle. Tu aurais dû rester avec nous. Tu étais toute seule aux Sablons...

— Je suis très fatiguée.

— Mais qu'est-ce que tu as sur le dos ? Ce survêtement est à toi ?

Julie fait signe que non.

— Je vais te trouver quelque chose de mieux. Pas à moi, ce ne serait pas assez grand. Tu veux un café ?

— Non, merci.

Camille lui essuie la joue.

— Je t'ai laissé de mon rouge à lèvres !

Ce geste lui remet des larmes aux yeux. Elle embrasse Julie.

— Je reviens.

Julie regarde sa camarade de travail s'éloigner, rapide, nerveuse, dans son caban de laine rouge. Elle referme les yeux.

Des bénévoles ajoutent des tables et des chaises au milieu de la salle. La machine à café fume et emplit l'air de son arôme. Un boulanger apporte des cageots de pain et de croissants. De nouveaux naufragés entrent en silence, les couvertures sur les épaules, soutenus par des secouristes. Un enfant pleure. Des jeunes gens poussent un cortège de fauteuils roulants. Ils les approchent de la table. Les rescapés ne savent pas s'ils ont faim ou soif, ne se plaignent pas, ne demandent rien. Ils ne sont pas là.

Camille touche l'épaule de Julie.

— Excuse-moi.

Marinette se réveille aussi et bâille contre sa maîtresse.

— Regarde !

Camille fouille dans un grand sac en papier.

— 38-40, c'est ta taille ?

Elle sort un jean, une chemise, un gros pull. Julie s'assied et presse les doigts de son amie.

— Attends, lui murmure Camille, tu n'as pas tout vu...

Elle cherche au fond du sac, montre discrètement une petite culotte à dentelle noire.

— Celle-là est à moi. Je ne l'ai jamais mise...

Elle lance un coup d'œil autour d'elle.

— Je la réservais pour les grands jours et celui-là en est un !

Elle pouffe. Julie appuie le front contre l'épaule de Camille et pleure encore en riant.

— Merci.

— Si elle ne te plaît pas, tu n'es pas obligée de la mettre !

— Elle me plaît. Merci, Camille...

— Il doit bien y avoir un vestiaire par là. Tu vas enlever ce truc.

— Tu as un mouchoir ?

Elles traversent la salle. Camille soutient Julie. Marinette s'étale sur le tapis, à la place de sa maîtresse.

Quand elles ressortent, Julie n'est plus pareille. Elle marche toute seule. Elle se tient droite. Elle s'est coiffée. Elle a retourné les jambes du jean un peu longues. Elles vont s'installer à la table près de la machine à café. Camille remplit les gobelets et apporte une assiette avec du pain, du beurre, de la confiture, un croissant.

— Il faut que tu manges.

Julie décolle, du bout des doigts, une miette de peau dorée du croissant, la garde entre pouce et index.

— Ils ont tout perdu, souffle-t-elle en balayant de ses yeux clairs ces naufragés encore en vêtements de nuit, enveloppés dans des couvertures, prostrés dans leur coin, les regards hantés.

Elle roule la miette entre ses doigts.

— Moi, je n'avais que moi... ma voiture et mon violon. Est-ce que la mer se retire ? Il y avait du sable partout aux Sablons.

— Bois ton café.

Camille lui met le gobelet dans la main.

— Bois.

Julie goûte. Le café descend lentement.

Camille pousse aussi le croissant.

— Mange.

— C'est trop tôt. Ça ne passe pas.

— Il le faut.

— J'ai fait une promesse. Je vais me remettre au violon sérieusement.

— Je ne comprends pas qu'une fille douée comme toi perde son temps à distribuer des pots de jetons au casino avec moi.

Les yeux de Julie s'éclairent.

— Tu es gentille. Je ne perds pas mon temps avec toi.

Camille casse une corne du croissant de Julie, la trempe dans son café, mange.

— Il est bon. Tu ne veux pas essayer ?

Julie porte la corne à ses lèvres, la tourne dans sa bouche, finit par l'avaler.

— Non, elle ne se retire pas, dit Camille. Elle va

recommencer à monter. Elle ne devrait pas faire de dégâts, s'il n'y a pas de vent. Les trous dans les digues sont, bien sûr, toujours là...

Un nouveau contingent de naufragés arrive dans la salle, avec le même air de ne pas voir, la même démarche hésitante. Les secouristes déploient une bâche blanche sur une structure de ferraille.

— Il paraît qu'ils en auraient trouvé sept... murmure Camille.

— Sept quoi ?

— Ils vont installer une chapelle ardente au funérarium.

Les larmes roulent dans les yeux de Julie et glissent sur sa joue. Dans les yeux de Camille aussi, qui ouvre sa besace sur ses genoux.

— Je crois qu'on a oublié quelque chose...

Elle sort des papiers, un portefeuille bourré, un peigne, son tube de rouge à lèvres, un paquet de cigarettes, une boîte de chewing-gums, sur la table.

— Tu en veux ? dit-elle, en proposant le chewing-gum.

Elle sort enfin un flacon doré.

— Approche ton oreille !

Elle n'attend pas que Julie s'incline. Elle presse le vaporisateur et arrose son amie, d'un côté puis de l'autre. Julie ferme les yeux, respire.

— Tu as été gentille avec ton Gérard ?

— Oui.

— Et alors ?

Camille range son matériel dans son sac.

— Ça n'a pas été... la tempête !

Elles se lèvent dans les effluves de parfum. Julie

emporte son reste de croissant à Marinette. La chatte le lèche, ronronne.

— Elle m'a sauvé la vie, souffle Julie à Camille.

— Je passe te prendre tout à l'heure. La chambre, derrière la maison, est petite. On l'a nettoyée. Je vais y mettre le radiateur électrique à fond toute la journée.

— Je ne sais pas si je dois.

— Tu préfères rester ici avec tout le monde ?

— Je ne veux pas t'embêter.

— Là, maintenant tu commences à m'embêter sérieusement !

— Je voudrais aller voir si je peux récupérer mon violon.

— On ira.

En fin de matinée, le soleil perce enfin. La marée montante dégage le ciel.

La désolation est pire à la lumière. Des mèches de feu allument partout les crêtes d'eau sautillantes entre les maisons, dans les marais, à la Pointe, où s'affaire le ballet hallucinant des hélicoptères, Zodiac, camions, des hommes en rouge, des blouses blanches. Une drôle de fourmilière...

Philippe a récupéré un moteur pour sa yole.

— C'est par là ? demande-t-il à Guillaume.

Il a du mal à s'y reconnaître. Les repères sont engloutis.

— Plus à droite. Tu dois être sur la levée des douaniers, lui dit Alexandra.

Guillaume ne dit rien. Philippe oblique légèrement. Ils passent au large de la cabane de l'Îlot dont les habitants, ils le savent, ont été sortis sains et saufs dans la matinée. Et ils aperçoivent là-bas, devant, au milieu de l'eau, les tôles de la bergerie de la Prée qui étincellent.

Le moteur cille un peu, parfois, puis reprend son rythme paisible et régulier. Un couple de mouettes, sur l'eau, s'éloigne à peine quand ils s'approchent et le sillage de la yole les ballotte.

Toutes les clôtures à moutons mises en place par Alexandra et Guillaume sont submergées. Il avait espéré que, peut-être, la Prée serait moins touchée parce qu'elle est située sur un semblant de motte. Il ne se fait plus d'illusion. L'eau est trop haute. La mer a profité des faiblesses de la digue, a emporté les dunes de la Pointe. Le propriétaire, comme tous les céréaliers du marais, a aussi supprimé les vieilles digues de terre mises en place par les Hollandais pour développer le polder. Les bourrelets de terre inutile des digues gênaient la circulation des machines. Ils les ont arasées, les unes après les autres, ont comblé les canaux.

Le marais est devenu une riche plaine à maïs et à blé. Et la mer y a déroulé sans barrière ses vagues.

Philippe réduit les gaz. Guillaume montre, sous la yole, dans l'eau, ce qu'ils appellent le barreau. Deux grosses pierres de calcaire trouées, de chaque côté du chemin dans lesquelles ils font coulisser deux perches pour fermer. C'est l'entrée de la cour de la Prée.

La vieille longère que Guillaume a commencé de remettre en état baigne jusqu'au vitrage de la porte. Les tuiles n'ont pas bougé. La génoise mire au soleil, dans l'eau immobile, sa frise rouge de tuiles à l'ancienne et ses pierres blondes.

La tôle vissée par Guillaume sur la bergerie est toujours en place. Mais le grand portail n'a pas résisté. Il pend sur le côté, dégondé, les cornières et la tôle pliées. L'entrée de la bergerie est béante.

Philippe hésite à y pousser la yole. Alexandra se lève.

— Patou !

Guillaume se lève aussi.

Le corps raide du chien flotte entre deux eaux contre le portail. Guillaume attrape sa chaîne. Patou est toujours attaché. Il glisse son doigt sous le collier. Le cou est pelé, meurtri, blessé.

Le bourdonnement d'un autre moteur leur fait tourner la tête. Les gendarmes qui les ont interrogés avant leur départ arrivent avec leur Zodiac. Guillaume remet le chien à l'eau, ses longs poils pleins de grumeaux de boue noire.

Philippe laisse s'étouffer le moteur de sa yole et ils la tirent lentement sur le tapis de foin et de paille qui flotte à l'intérieur de la bergerie. Les meules renversées et précipitées contre la bergerie ont défoncé les tôles.

— Des meules d'une demi-tonne ! dit Guillaume.

Il enjambe le bord de la yole et saute sur le chaos.

— Fais attention ! crie Martine.

Il passe d'une meule sur l'autre, donne un coup de botte rageur dans le foin en déséquilibre qui fléchit un peu. Les gendarmes entrent dans la bergerie avec leur Zodiac.

— Qu'est-ce que vous faites ?

Guillaume se penche, cherche sous le tapis de

fourrage et soulève un paquet dégoulinant, écarte les fétus d'herbe. Il dégage une petite tête, des pattes.

— Ça, c'est un agneau ! dit-il, la voix tremblante. Hier, il tétait sa mère. Il est né il y a quinze jours.

Il le jette sur la meule, se penche de nouveau, fouille, s'arc-boute, rougit, chancelle, se redresse avec un paquet plus lourd et volumineux qu'il lève à peine.

— Ça, c'est peut-être sa mère. On en avait cent vingt. Où elles sont ? Vous les voyez ? Je les cherche !

Il traîne la brebis à côté de l'agneau. Il en attrape une autre, qu'il tire encore sur la meule.

Les gendarmes se taisent aussi. Leur moteur au ralenti bourdonne. Il donne un coup de botte dans la bête morte. Les tôles du toit se dilatent et craquent sous le soleil. Il monte sur la meule la plus haute.

— Arrête ! crie Alexandra.

Il se retourne, la fixe à travers la pénombre dorée.

— Tu t'en fous, toi !

Elle ne répond pas. Ça dure. Il ajoute plus bas et sa voix vibre.

— C'est le troupeau qu'on avait à Lounesse.

— Monsieur, dit calmement le gendarme, vous avez raison d'être révolté...

Guillaume regarde son pantalon mouillé où le foin a collé et, à voix plus basse encore :

— Qu'est-ce que vous en savez ?

Il se redresse.

— Il n'y a plus de porte derrière. Les meules l'ont emportée. Les moutons sont partis avec. On va en retrouver jusqu'où ?

Il donne un nouveau coup de botte à la brebis en passant, redescend.

Les gendarmes sortent. Philippe relance son moteur.

— Patou ! dit Alexandra, la voix étranglée.

Le soleil est au zénith. Ses rayons soulèvent des fumées où la lumière poudroie, jaune, dorée.

— L'eau s'évapore un peu, dit le gendarme. Mais, à ce rythme-là, elle mettra du temps à baisser.

— Qu'est-ce qui va pousser sur cette terre couverte d'eau salée ? crie Guillaume, rouge, congestionné. Les Romains ont semé du sel après avoir détruit Carthage pour rendre la terre stérile, inculte.

Ils vont derrière la bergerie. Le tracteur bleu, Ford, baigne jusqu'au siège, la remorque renversée. La tête d'un mouton est posée sur le garde-boue, fine, noire. On dirait qu'il dort et se chauffe au soleil. Il n'est pas tout seul. Un autre flotte à côté.

— Ils y sont tous passés... murmure Alexandra.

— On ramassera les carcasses ! ricane Guillaume.

Ils s'approchent de la maison. Elle a été en partie préservée parce qu'elle est en effet sur une motte. Et puis elle a l'étage du grenier. Ils se penchent contre la vitre, l'eau dort à l'intérieur. La grande échelle qui a servi à Guillaume pour monter sur le toit de la bergerie flotte contre le mur.

— On y va ? demande Philippe.

— Tu veux qu'on reste dans ce cimetière ?

— Vous pouvez y aller, disent les gendarmes. Si on avait besoin de vous joindre, vous êtes chez votre mère. C'est ça ?

Guillaume ne répond pas.

— Oui, dit Alexandra.

12.

Camille revient avec un jeune pompier qui a passé sa journée dans l'eau. C'est son cousin. Il a failli lui raccrocher au nez lorsqu'elle lui a dit qu'elle avait besoin de lui pour repêcher un violon.

— C'est sérieux. C'est pour une amie qui a passé la nuit accrochée à un poteau électrique. Elle est musicienne. Elle ne parle que de son violon. Je te jure, c'est important.

— Il y a des choses plus importantes.

— Je ne rigole pas. Je ne te dérangerais pas si je n'étais pas sûre que c'est important.

Il a trouvé des corps. Les pompiers en sont maintenant à seize victimes. Il connaît sa cousine, bavarde, fatigante, excentrique. Elle lui a collé de son rouge sur la figure quand elle lui a fait la bise au casino. Mais elle est brave, pas sotte à le solliciter sans motif.

Il en a parlé au chef qui l'a encouragé à prendre une pause. Il a vingt-cinq ans, travaille aux ateliers municipaux, est bien noté. Depuis le matin, il n'a pas arrêté. Il n'a pas eu le temps de réfléchir et c'est peut-être mieux. Il regarde à la dérobée, les yeux rouges, fatigué, la grande fille un peu maigre qui s'est assise dans le Zodiac avec sa cousine.

— Comme ça, vous avez passé la nuit suspendue au-dessus de l'eau ?

— Oui.

— Je le savais... murmure Camille en découvrant l'étendue d'eau sur laquelle ils filent en direction de la Pointe, mais je n'imaginais pas que c'était à ce point...

Le cousin ralentit quand ils traversent le village du Génie. Un groupe de collègues est en plongée autour du toit d'une camionnette.

— Tu retrouverais le poteau où tu es montée ? demande Camille à Julie lorsqu'ils approchent des Sablons.

— Je ne sais pas...

— Votre maison, c'est laquelle ? demande le cousin, en obliquant vers les toits qui se perdent au milieu des marais.

— Je ne sais plus...

Il n'y a plus que des toits sans repères qui, avec la réverbération, semblent flotter. Une légère houle soulève le Zodiac. La marée est haute. La brise de mer fouette, nerveuse.

Julie, la main en visière, compte les maisons depuis la digue. Le Zodiac tourne lentement sur place.

— C'est peut-être celle-là.

— Vous êtes sûre ?

Elle hésite et puis :

— Ma voiture.

Son toit rouge dans l'eau.

— Je suis sortie par là.

180

La porte est ouverte, en effet.

— Tu as plongé ?

— Il y avait du sable. J'ai failli ne pas l'ouvrir.

L'eau arrive aux deux tiers de la maison. Elle est montée plus haut, jusqu'au-dessus du linteau. La ligne d'humidité se voit.

Le cousin ajuste sa cagoule sur ses cheveux noirs. Le caoutchouc lui pince les joues.

— Où était votre violon ?

— Dans la chambre, un étui noir.

Il ajuste le bandeau de sa lampe.

— Il a sûrement changé de place.

Il a les sourcils fournis, en broussaille.

Il se laisse glisser dans l'eau, disparaît dans la maison. On voit les reflets de sa lampe.

— C'est plein de sable !

Camille a instinctivement pris la main de Julie. Elles se tiennent l'une contre l'autre.

Elles entendent des bruits d'eau. Il doit bouger des objets. La vaguelette de ses déplacements meurt contre le chambranle.

— Je ne trouve rien. C'est un tel chantier ! Un étui à violon, c'est pas gros !

Et soudain :

— Je crois que je l'ai !... Je l'ai !

Il revient en poussant l'étui devant lui comme un bateau. Pas noir, jaune de boue et de poussière de sable.

— Il était dans la salle de bains, derrière la cabine de douche.

Il pose l'étui sur le boudin.

— Il n'est pas lourd. On dirait qu'il n'y a rien dedans... Tout est en l'air dans la maison. Vous seriez restée, c'est vous au lieu du violon qu'on serait venu chercher.

Julie enlève la boue de l'étui avec sa main, frotte, lave sa main, fait lentement sauter les fermoirs, ouvre. Le velours rouge, le doré du palissandre vernis. Le violon est intact. Il n'a pas pris une goutte. Les filles éclatent de rire, le touchent.

— Il n'a rien !

— Incroyable !

— Il flottait, dit le cousin en remontant dans le Zodiac. Je n'étais pas sûr mais je le trouvais léger.

Camille effleure l'ambré du dos du violon. Elle a de petites mains aux doigts courts. Elle l'approche de sa joue. L'hélicoptère bleu qui passe doit être celui qui a repéré Julie sur son poteau. La houle ballotte le Zodiac.

Julie coupe un fil qui s'est détaché de l'archet, s'assied, pose le violon sur son épaule, y appuie le menton.

— Attendez !

Le cousin décolle le caoutchouc de ses joues et de ses oreilles, renvoie la cagoule derrière sa tête. Julie pince les cordes de son violon, tourne les éclisses pour l'accorder.

— Je ne sais pas si je vais y arriver. L'épaule que je me suis cognée contre le poteau me fait mal.

Elle laisse filer son regard sur le marais inondé et, plus loin encore, jusqu'au fond où brille dans le soleil triomphant, peut-être, une nappe de terre. Elle mouille de salive le doigt qu'elle pose sur la touche d'ébène.

La musique s'élève, douce, sensuelle, joyeuse entre les maisons noyées et la mer qui clapote. Les mouvements du bras de Julie sont nerveux. Son doigt secoue les cordes pour les faire vibrer. Elle a oublié sa douleur à l'épaule.

Elle ferme les yeux. Un vol de cormorans les survole en silence. Ils sont assis tous les trois. On dirait que parfois la musique lui échappe et, soudain, dans un trémolo qui secoue, elle reprend le fil ténu du refrain qu'elle amplifie, affirme, impose, tendre, très pur, vivant, heureux, oui, heureux, incroyablement vivant et heureux sur ce bateau au milieu de ce village noyé.

Elle s'arrête brutalement, ouvre les yeux.

— Rondo... dit-elle. C'est un rondo de Mozart. Quand j'étais accrochée à mon poteau électrique, je le jouais dans ma tête.

Ils ne lui répondent pas, sidérés. Elle a un sourire timide.

— Le violon sonne un peu mouillé.

— Mouillé ? demande Camille.

— Je ne connais rien à la musique, murmure le cousin. Merci...

— C'est moi.

Il baisse la tête pour cacher son émotion, démarre le Zodiac.

— Non, c'est moi qui vous remercie, dit-il. Tu as bien fait, Camille... tu as bien fait d'insister...

La mère de Guillaume héberge dix-neuf personnes. Elle a accueilli tous les sans-toit, neveux, cousins, amis sinistrés avec leurs enfants.

— Manquerait plus que ça ! Vous n'allez pas

dormir dans la salle omnisports ! Il y a encore de la place chez moi !

Il n'y en a plus. Elle habite le quartier de L'Aiguillon où, miraculeusement, tout marche, le téléphone, l'électricité. Elle a eu un centimètre d'eau dans sa véranda. Les voisins, de l'autre côté de la rue, en ont eu dix. La route a servi de dernière digue.

Elle a mobilisé tous les lits, les canapés, récupéré des matelas qu'ils ont étalés sur les planchers. Elle a ouvert aussi la caravane dans la cour, qui n'a pas roulé depuis qu'elle n'a plus de mari.

Les enfants ont dîné les premiers parce que tout le monde ne pouvait pas manger ensemble. Leurs parents les ont couchés dans les deux chambres du haut. Ils sont montés plusieurs fois parce que les petits ne s'endormaient pas. Les mettre ensemble n'était pas forcément une bonne idée. Ils s'entraînaient. Il suffisait qu'il y en ait un qui se mette à pleurer. La grand-mère a écouté derrière la porte. Les plus grands racontaient leurs horreurs de la nuit passée et les petits criaient de peur.

Alexandra est redescendue avec Amandine.

— Je l'emmène se coucher avec moi. Ça en fera une de moins, là-haut. Je vais d'ailleurs y aller tout de suite. Tu viens avec nous, Lucie ?

Lucie, la jeune cousine de quinze ans. La mère de Guillaume a interrogé Alexandra des yeux. Pourquoi elle allait se coucher avant les autres ? Amandine n'était pas de ceux qui mettaient le désordre.

Lucie finissait d'essuyer la vaisselle avec les femmes. Alexandra et Guillaume devaient dormir dans la caravane. Les hommes avaient déplié les canapés. Il n'y avait pas d'autres bruits en bas que les tintements des verres et des assiettes. Ils avaient encore dans les yeux et la tête la nuit de tous les cauchemars.

Avec cette nouvelle nuit, les cauchemars revenaient plus fort. Elle serait longue encore.

Émilie, la grande sœur de Lucie, avait soudain repoussé son assiette, à peine assise à table. Elle avait fui, écarlate, dans le noir de la véranda. Son mari l'avait rejointe et elle avait éclaté en sanglots.

En juillet, Émilie avait organisé une grande fête chez elle, pour le baptême de son fils et la pendaison de crémaillère dans leur maison toute neuve qui baigne à présent dans deux mètres d'eau et de boue. Avec leur fils, et Lucie en pension chez eux, ils ont grimpé d'abord sur le tas de parpaings livrés pour la construction d'un mur d'enceinte. Et comme l'eau continuait de monter, ils se sont réfugiés sur le toit.

Guillaume se demande s'il va aller se coucher avec sa femme. Il ne s'est pas mis à table à côté d'elle. Il continue de bricoler le mécanisme coincé du canapé. Sa mère s'approche.

— Qu'est-ce que tu fais ? Ils peuvent se débrouiller sans toi.

Il force sur le clic-clac.

— Il faut bien que nous mettions tout en place.

Lucie hésite. Est-ce qu'elle doit suivre Alexandra ? Est-ce qu'il y a de la place pour elle dans la caravane ?

La grosse voix de Guillaume monte du salon :

— Va avec Alexandra, Lucie. T'occupe pas. Je me trouverai toujours un coin quelque part.

— Allez, Lucie, dit Alexandra, viens !

Lucie se débarrasse de son torchon. Amandine tend les bras à sa grande cousine.

Elles sortent dans la nuit, traversent la cour où le vent agite les bambous. Le petit chauffage électrique de la caravane est rouge. Seule la veilleuse de la grande couchette fonctionne.

Amandine voudrait dormir entre les deux femmes mais, à trois sur le mince matelas de mousse, ce n'est pas possible. Alexandra replie la tablette en Formica et lui aménage sa couchette. Elles n'ont plus de vêtements de nuit. La grand-mère a sorti une chemise de nuit de Guillaume, petit garçon, « qui sent mauvais » pleurniche Amandine. Elles se couchent en tee-shirt et culotte. Elles éteignent la lumière.

— Maman, demande Amandine, est-ce que la mer va monter encore ?

— Mais non, c'est fini. Dors.

— Lucie ?

— Oui.

— Veux-tu coucher avec moi ?

— Tu es à côté de nous. Dors.

Elles croient qu'elle s'endort enfin et puis elles l'entendent renifler.

— Je veux doudou. J'ai peur.

— Mais tu l'as ton doudou !

— Doudou rouge !

Alexandra allume.

— Il est là, juste à côté de toi.

Elle le lui donne. Amandine pleure vraiment maintenant.

— Je veux dormir avec vous !

— Bon !...

Alexandra descend de la grande couchette.

— Tu vas dormir avec Lucie ! Mais que je ne t'entende plus !

Elle aide sa fille à monter près de Lucie, lui met son doudou rouge et son doudou blanc dans les bras, les borde, éteint, se couche en soupirant dans l'étroit renfoncement où elle a du mal à tenir. L'œil rouge du chauffage brille dans le noir. Amandine a peut-être peur à cause de lui. Tout est nouveau. Rien n'est normal. La tôle se dilate et craque. La caravane n'est pas grande. Le vent murmure contre la fente sous la porte.

Lucie bouge.

Alexandra croyait sombrer dans le sommeil. Tout à l'heure, à table, par moments, ses yeux se fermaient. Et maintenant la machine à mouliner des horreurs est en marche.

Elles ont descendu le store de la fenêtre. Elle devine que les lumières s'éteignent dans la maison. Quelqu'un est sorti. Un homme, pour uriner dans la cour. Pas Guillaume. Il a toussé. Probablement le mari d'Émilie.

Le vent fait battre un fil, un bout de corde à linge contre la caravane. Est-ce qu'elle entend le bruit de la mer ? Est-ce que ça peut reprendre ? La marée la plus forte est pour demain. L'angoisse lui serre le ventre. Elle ne l'a pas montré mais elle est inquiète.

Elle sursaute. Est-ce qu'elle s'est endormie ? Est-ce que le vent se lève ? Elle était dans les combles de la maison du lotissement. La mer écumeuse déferlait dans les rues comme sur le sable du Mont-Saint-Michel, *à la vitesse d'un cheval au galop.* C'est ce qu'ils ont répété dans la journée : *à la vitesse d'un cheval au galop.*

Elle ouvre grands les yeux. Elle n'a dû dormir que quelques secondes. Son cœur se serre. Elle a mal partout comme si on l'avait rouée de coups. Les coups de la nuit précédente. Elle a pris de l'aspirine avant de manger. Ils en ont tous pris.

Elle se retourne. Elle ne devrait pas à cause des froissements de son sac de couchage. Elle pense aux froissements des sacs-poubelle.

Lucie se tourne aussi.

— Lu-cie... Lu-cie...

Lucie dort. Le réveil tictaque.

Elle étouffe. Dès qu'elle ferme les yeux, elle voit l'eau sous la lune, les maisons inondées. Elle entend les appels à l'aide.

Elle sort les jambes du sac de couchage, le repousse contre la paroi, l'écrase sous ses pieds. Elle revoit Guillaume se ruer sur les meules de foin et hurler dans la bergerie : « Tu t'en fous, toi ! »

Pourquoi est-ce que je m'en foutrais ?

Elle a soif. Elle sent lui revenir la soif brûlante de la nuit passée. Comme une idiote, elle n'a pas pris de bouteille d'eau. Elle ne passera pas la nuit sans boire. Elle s'assied sur le bord de sa couchette.

Les souffles réguliers de Lucie et d'Amandine. Elles dorment. Elle envie leur sommeil.

Elle se déplie lentement dans le couloir étroit, marche sur la pointe des pieds pour récupérer ses vêtements, ses chaussures. Les cliquetis de la serrure et de la portière ne changent rien au souffle des dormeuses. Elle regarde sa fille dans la buée rouge du chauffage, referme.

Un chien aboie. La nuit fourmille d'étoiles. La lune ronde, presque dorée, éclaire d'une lumière plus vive que la veille.

Si elle n'avait pas parlé, elle ne serait pas maintenant debout toute seule au milieu de rien. Elle serait couchée contre lui. Elle dormirait peut-être, parce que leur vie n'a jamais été vraiment en danger comme d'autres. Guillaume était là. Il a su réagir quand il le fallait.

Son cœur lui fait mal. Ils sont de retour à L'Aiguillon depuis deux ans. Ils étaient en train d'oublier Lounesse. Ils louent quarante hectares de prairies naturelles. Ils se sont privés, Guillaume était fier de ses cultures douces de fèves et de luzerne. En revenant, ils ont retrouvé la famille et les copains comme Philippe. Ils étaient sur le point de récolter le fruit de leur travail en vendant les belles femelles du troupeau qu'ils avaient constitué.

Des milliers d'aiguilles lui percent à nouveau le corps. La corde à linge bat contre le flanc de la caravane. Le vent froisse les bambous. Le chien continue d'aboyer, dans les jardins derrière. La maison est entièrement éteinte, même là-haut chez les enfants.

Boire. Elle sait où sa belle-mère a rangé le pack d'eau dans le garage. La porte n'est pas fermée à clé, avec tout ce monde. La consommation de l'eau du robinet est interdite jusqu'à nouvel ordre.

Elle avale de grandes lampées qui la lavent, en retenant des soupirs de soulagement. Elle referme derrière elle, rentre les poings au fond de ses poches, la bouteille d'eau sous le bras.

Elle dépasse le dernier lampadaire allumé au coin de la rue et accélère en entrant dans la zone noire, celle de l'inondation.

Elle prend une gorgée en marchant au milieu de la route mouillée qui brille au clair de lune. Elle sent déjà sous sa semelle la mince pellicule de boue collante laissée par l'eau en se retirant. Elle respire mal. Toute la ville déborde de relents de vase.

Elle a haï cette terre qui lui a volé sa mère. Sa mère et son vélo sur la route de la digue, les restes du restaurant *La Pergola* dans la petite remorque, pour Titus. Elle a encore du mal à pardonner à son père de s'être mis si vite avec Clémence. Elle est comme ça, Alexandra, entière, « impossible ».

Ils ont barré la route avant le rond-point du port. La lune allonge les ombres des barrières. Le vent fouette plus fort au bord de la rivière. Des phares de véhicules brillent sur le pont, des moteurs tournent, des hommes parlent. Un camion rouge de pompiers s'ébranle en ronflant. Ses phares balaient la place encore noyée et les bateaux arrachés au port.

Alexandra va d'une porte à l'autre le long de l'avenue du Lay comme une voleuse, la main sur la poitrine pour contenir les battements de son cœur.

Elle s'arrête devant ce qu'ils appellent le lac.

Les souvenirs les plus heureux de son enfance sont peut-être au bord de ce bassin creusé au bord de la rivière. Alexandra s'y voit en maillot de bain sur la plage trop petite avec son père, sa mère, sa

sœur. Ils réussissent tout juste à déplier leur serviette tellement ça grouille de baigneurs au bord de
cette petite mer au milieu du bourg. Ils sont venus
à pied parce que la maison n'est pas loin. Elle a
cinq ans, six ans, sept ans. Chaque année elle nage
plus loin, sans les brassards d'abord, puis sans la
bouée. Elle se cache sous sa serviette pour enlever
son soutien-gorge mouillé.

Elle fait la queue au pied du grand toboggan
bleu, là-bas, au bout de la plage.

Guillaume prétend que c'est devant ce toboggan
qu'il l'a remarquée pour la première fois. Elle ne
se souvient pas d'avoir joué avec lui.

La tempête a roulé le toboggan dans la boue du
bord de la rivière. Le syndicat d'initiative à côté du
lac est dans l'eau. Les Zodiac et les yoles de secours
sont alignés au bord de la route.

Le faisceau d'un projecteur immobilise Alexandra.

— Police ! Qu'est-ce que vous faites là ?

Elle recule, se protège les yeux.

— Je... je suis sortie marcher...

Le gendarme lui demande son nom, son adresse.
Le projecteur est fixé sur le toit d'une voiture. Elle
n'a pas entendu le moteur, perdue dans ses
pensées. Elle explique qu'ils habitent dans le lotissement, qu'ils se sont réfugiés chez sa belle-mère,
là-bas, rue Gaby-Morlay.

— Rue Gaby-Morlay ?

— Je suis venue voir si la mer montait...

Le gendarme fait signe à son collègue d'éteindre
le projecteur. Sa voix s'adoucit. Il allume une
lampe torche.

— Vous avez froid ?

— Pourquoi ?

— Vous tremblez.

C'est vrai qu'elle tremble.

— La maison de votre belle-mère est loin ?

Elle a un geste vague.

— Non, là, par-derrière...

— Je la raccompagne jusque chez elle, dit-il à son collègue.

— Je peux y aller toute seule.

— Vous risquez d'être arrêtée par une autre patrouille. Des vols ont déjà été signalés dans les maisons abandonnées.

Elle tremble de plus belle, croise les bras sur sa poitrine pour essayer d'arrêter ses tremblements.

Elle regarde les miroitements orange de la lune sur l'eau du lac débordé. Il lui touche l'épaule.

— On y va ?

Ils marchent vers le rond-point et le pont. Un camion à grosses roues traverse la place en soulevant des gerbes d'eau.

— Quelle heure est-il ?

— Trois heures.

— L'heure où hier...

Elle frissonne.

— Je suis sûre, dit-elle, et sa voix tremble, que tous ceux qui ont vécu la tempête sont comme moi. Ils ne dorment pas.

Ils ne se parlent plus jusqu'à ce qu'ils arrivent au premier lampadaire allumé, au coin de la rue Gaby-Morlay.

— Je vais rentrer toute seule.

Elle a encore sa bouteille sous le bras, vide. Elle en a sucé les dernières gouttes devant le lac.

— Couchez-vous et essayez de dormir.

— Oui.

Le gendarme attend qu'elle ouvre le portail de la cour pour repartir. Elle va rentrer. Elle veut la chaleur de la caravane, les sommeils réguliers de Lucie et d'Amandine. Mais il lui faut de l'eau. Elle a encore soif. Il lui semble qu'elle aura toujours soif, désormais.

Elle pousse lentement le verrou du garage, marche à tâtons vers le pack d'eau au fond, sursaute, se retourne, reconnaît Émilie.

— Tu ne peux pas dormir ? chuchote sa cousine.

— Ç'a été plus fort que moi. Je suis sortie.

— Toi aussi ?

— ... ?

— Guillaume...

— ... ?

— Il n'était pas avec toi ?

Alexandra finit de retirer sa bouteille et, soudain, elle tire Émilie par le bras, l'entraîne, en faisant du bruit dans le garage. Elle vient de revoir les Zodiac et les yoles alignés au bord de la route.

— La yole de Philippe ! dit-elle, trop fort, avant qu'elles soient dehors.

— La yole de Philippe, quoi ? Tu me fais mal !

— Elle n'y était pas !

Philippe a laissé sa yole à la tombée de la nuit avec les autres, après avoir porté secours tout l'après-midi. Guillaume et Alexandra sont retournés avec lui à leur maison juste avant la tombée du jour pour voir les dégâts. Ils ne sont pas entrés. L'eau est encore trop haute. Ils n'en avaient pas envie. Mais

193

ils sont sûrs que tout est détruit. Ils ne récupé-
reront rien.

Philippe a laissé sa yole au bord du lac. Elle est
facilement reconnaissable, c'est la seule à l'ancienne, en bois. Si elle n'y est plus, c'est que quelqu'un l'a prise.

Quelqu'un l'a prise ! Guillaume est sorti...

— Tu as un portable, Émilie ? Appelle Philippe !
Guillaume a celui de sa mère.

— Á cette heure-ci ? Pourquoi tu n'appelles pas
Guillaume ?

— Appelle Philippe !

Elles sont sorties sur la rue. Alexandra arrache le
téléphone à Émilie.

— Allô, Philibert ? Excuse-moi de te réveiller à
cette heure-là...

— Je ne dormais pas.

On dirait qu'on ne dérange jamais Philippe. Il
ne s'énerve jamais. Son parc est dévasté, ses sacs
d'huîtres sont répandus partout et il en a perdu la
moitié. Il est allé chercher des gens sur leur toit
toute la journée plutôt que de s'occuper de ses
affaires, sans faire de bruit, avec sa barque.

— C'est toi qui as déplacé ta yole ? Je viens du
lac. Je ne l'ai pas vue !

Il ne comprend pas. Alexandra a du mal à ne
pas s'emporter. Elle s'embrouille, s'explique mal. Il
comprend enfin qu'elle craint que Guillaume ait
pris sa yole.

— Pour aller où ? À trois heures du matin !

— Je ne sais pas ! s'écrie-t-elle. Tu connais Guillaume !

— Il a un téléphone ?

— Il a emprunté le portable de sa mère.

— Tu ne... Je vais l'appeler. Donne-moi le numéro.

— Tu me rappelles ?

Les bambous frissonnent. La brise cliquette dans leurs cimes. Émilie tient Alexandra par le bras. Elles restent oreille contre oreille, dans l'attente.

13.

C'est maintenant au curé de la paroisse Saint-Michel-l'Abbaye, dont dépendent L'Aiguillon et La Faute, de prendre la parole. Il aimerait en être dispensé.

Il a été jour et nuit présent dans la chapelle ardente du funérarium où les sauveteurs apportaient les dépouilles. Il est fatigué. Il aurait besoin de dormir. Il a pris des cachets lui aussi.

Il est jeune et robuste pourtant. Mais est-on armé, quand on est jeune, pour accueillir un tel déferlement de souffrance ? Le consolateur aimerait être consolé.

Son évêque lui a confié comme un honneur la mission qu'il va accomplir maintenant. Il la ressent comme une charge sur ses épaules harassées.

Il tourne les yeux au ciel et lève les mains pour la prière.

Il élève encore un peu plus haut les mains, se racle la gorge.

— Souviens-Toi, Seigneur... de Michèle... d'Agathe et Gilles... que Tu as rappelés auprès de toi...

Il fait une courte pause où il s'oblige à poser sa voix.

— Souviens-Toi aussi de...

Et il égrène la longue et douloureuse liste des vingt-neuf noms des vingt-neuf victimes.

Vingt-neuf de sa paroisse qui ont disparu au cours de cette nuit.

Vingt-neuf qui lui étaient confiés, qu'il considérait comme les siens, même s'il ne les connaissait pas.

Vingt-neuf comme les bougies dans l'arbre de lumières.

Pour lui, ils ne sont pas que des noms. Il voit les visages des familles effondrées, entend les cris. Il les a toutes rencontrées. Il n'a pas beaucoup parlé. L'important était d'être là.

Beaucoup de noms vont par deux, ceux des couples emportés ensemble. Tandis qu'il les appelle, il a conscience que sa voix résonne dans la cathédrale et sur la place comme celle du messager de la tragédie.

Il dit :

— Jean-Jacques et Marie Montauran... Jérémie et Claire Montauran...

Un silence, peut-être plus lourd encore de stupeur, écrase l'assistance.

Tout le monde sait qu'ils sont morts tous les quatre, que les pompiers les ont trouvés noyés ensemble dans la chambre. Mais, à entendre les quatre noms, les horreurs de cette nuit éclatent encore à la figure et tous sont anéantis.

Des larmes coulent, des sanglots étranglés fusent, et des gémissements.

Sophie Montauran ne résiste pas. Elle est obligée de s'asseoir. Simon, son mari, s'assoit aussi, inquiet. Elle lui fait signe de se relever. « Laisse-moi ! Remets-toi debout, comme tout le monde ! »

Ils sont juste derrière les familles des victimes au corps présent dans la cathédrale.

Simon a vu, le dimanche matin, les premières images de l'inondation à la télévision et essayé de joindre ses parents au téléphone. Il a appelé des voisins du Génie et le restaurant La Pergola. *La communication était impossible, alors il a sauté dans sa voiture avec Sophie. Ils ont roulé, roulé, en écoutant les flashes de la radio, de plus en plus alarmistes à mesure que le temps passait.*

Ils se sont présentés à l'entrée contrôlée de L'Aiguillon. Les gendarmes laissaient passer au compte-gouttes. La file des voitures était interminable. La ville semblait en état de siège. Les hélicoptères tournaient dans le ciel.

Il a expliqué qu'il était sans nouvelles de ses parents et de ses enfants. On a cherché leurs noms sur la liste des victimes. Ils n'y figuraient pas.

Ils ont pu entrer. Ils les ont cherchés partout, à l'école, la salle omnisports, aux postes de secours, refusant d'aller à la rencontre des blouses blanches qui accueillaient les familles en deuil au presbytère.

On les a rappelés alors qu'ils s'éloignaient de la mairie devenue PC crise.

— Vous êtes les enfants de M. et Mme Montauran du village du Génie ? Vos enfants étaient avec eux ?

Ils n'ont pas eu la force de répondre. Les cheveux de Simon se sont hérissés sur sa tête. Il s'est précipité pour rattraper sa femme qui glissait de sa chaise en face du colonel des pompiers.

Ils ont porté les quatre cercueils, deux grands, deux petits, dans le même carré de terre du cimetière de Nantiat. Sophie a dit, alors qu'ils revenaient en voiture vers leur maison vide :

— Je voudrais aller à la cérémonie, à Luçon, demain.

Il allait lui répondre : « Tu vas te faire mal. »

Elle a ajouté :

— Ta mère aurait aimé que nous y soyons.

Ils ont eu envie, pendant ces trois jours, de tout arrêter. Ça leur arrive encore. Ils n'en ont pas parlé. Ça se dit sans les mots. Mais la tentation est grande de rejoindre leurs enfants là où ils sont.

Simon a repris le volant. Les parents de Sophie les ont accompagnés, comme s'ils avaient compris, comme pour retenir le coup de volant en pleine vitesse vers le ravin.

Sophie pense à Jérémie qui jouait à la guerre avec Claire et lui demandait de faire la morte. Il voulait qu'ils restent comme ça, immobiles, allongés par terre. Elle ne le voulait pas. Elle pleurait. « Je ne veux pas être morte ! » Il se fâchait. « Si, tu es morte ! Fais comme moi ! » Est-ce qu'ils se sont vus mourir ? Ils n'ont pas été surpris pendant leur sommeil. On a trouvé leurs corps flottant avec les meubles dans la chambre de leurs grands-parents.

Simon s'assied quand même auprès de Sophie, lui prend la main. Il a besoin aussi de cette main brûlante pour tenir. Les noms de Jérémie et Claire, dits par le prêtre, sonnent encore dans sa tête. Il voudrait être vide, ne pas penser. Oublier. Faire le chemin quatre jours en arrière. Les empêcher de partir...

La main fiévreuse de Sophie dans la sienne le rassure, pour l'instant. Pas une fois, elle n'a eu un reproche contre les parents de Simon. Elle a même dit :

— Nous les leur avons confiés.

De cela, il lui est infiniment reconnaissant.

Il voudrait leurs quatre cercueils là, les deux grands, les deux petits. Son père, autrefois, a fabriqué des cercueils, avant qu'il y ait des pompes funèbres à Nantiat. Des cercueils en chêne. Non, il ne le voudrait pas.

Il se rappelle le grondement de la mer pendant les nuits de son enfance à la maison du Génie. Il en avait toujours un peu peur. Il demandait qu'on ferme la fenêtre. Et puis, le matin, au réveil, l'impression de sentir craquer le sable salé entre les dents, la course en maillot de bain vers l'escalier de la digue pour être le premier à voir où en est la marée, le bonheur de découvrir les bouchots, le pont de Ré, l'île.

Il entend sa mère.

— *Simon, viens manger ! Ne descends pas sur les rochers !*

La tentation est grande.

— *Oh ! tu as vu le crabe ? dit Bruno, le petit voisin.*

— *Où ça ?*

Ils descendent nu-pieds en faisant attention de ne pas glisser.

Il voit son père, en short et espadrilles, les jambes blanches, les mollets cordés de varices bleues. Il n'y a pas si longtemps, sans doute l'été dernier, dans la véranda du Génie. Il l'entend :

— *Où est-ce que nous pourrions être plus heureux qu'ici, Marie ?*

Simon rougit. Sa bouche tremble.

Sophie pense à Claire déjà si lourde dans ses bras qu'elle refusait de la porter.

— *Tu es grande ! Fais l'effort de marcher !*

Elle se souvient de ses lèvres effleurant la joue de la fillette à son cou. Une joue ronde, douce, chaude...

— *Reçois-les dans Ton royaume, dit le jeune curé, où nous espérons être comblés de Ta gloire, tous ensemble et pour toujours.*

La yole de Philippe glisse sur le marais inondé. Le spectacle est magique à cette heure sous la lune rousse. On dirait qu'il y a le feu dans l'eau. La brise soulève des vaguelettes qui pétillent et lancent des gerbes d'étincelles.

Seul le ronronnement régulier du moteur trouble la nuit qui écoute, accompagné des froissements de l'eau déchirée par la barque.

Guillaume a craint que ce soit compliqué. Il savait que la gendarmerie avait organisé des patrouilles. Il a réussi à prendre la yole de son ami entre deux. Il a profité des mouvements des camions pour démarrer le moteur, au ralenti. Il est parti par la rivière. Il avait repéré, en circulant dans l'après-midi avec Philippe, le passage par où filer vers le marais.

Maintenant, tout semble facile.

Il s'est trompé, en croyant qu'il était solide. Tout marchait comme il le voulait. Il avait bien négocié le départ de Lounesse. Ils étaient de retour au pays et c'était comme des retrouvailles joyeuses avec les copains et la famille. Et, d'un seul coup, avec la tempête, c'est le double cataclysme.

T'es un pauvre type.

C'est insupportable de se découvrir un pauvre type.

Toute la journée, à mesure que le temps passait, ç'a été de plus en plus lourd. Un moment, dans l'après-midi, après avoir ramené une femme qui attendait dans ses combles depuis le matin, il a failli parler à Philippe. Il l'a appelé. Philippe était distrait par la conduite de sa yole. Il a mis du temps à se retourner.

— Tu voulais me dire quelque chose ?

Guillaume a bafouillé :

— Heu ! Oui. Tout va bien ?

— Pourquoi tu me demandes ça ? Si c'est possible de dire aujourd'hui que tout va bien !

Il a été ridicule.

Maintenant, ça va. Guillaume est bien. Il se sent soulagé. Il lui semble que ce n'est pas la yole qui glisse et tranche l'eau dorée par la lune.

Il aperçoit déjà le toit de la maison de la Prée et les tôles de la bergerie qui scintillent. Il savait qu'il ne se perdrait pas malgré la nuit. Le ciel est clouté d'étoiles. Le niveau de l'eau n'a presque pas bougé depuis le début de l'après-midi. Il faudra des jours, des semaines pour que la terre éponge et se ressuie. Si elle y arrive.

Il fonce directement avec la yole à l'intérieur de la bergerie, stoppe le moteur.

Le silence est impressionnant. Il est habitué au bruit dans la bergerie. Même quand les moutons dorment, il y en a toujours un qui bouge, un agneau qui bêle sur la paille. Les moutons rêvent aussi.

Il n'entend que le ressac de la vague de son arrivée. Son floc contre les tôles. Le gémissement du portail couché que l'eau soulève.

Il respire le poivre du foin trempé, l'écœurement de la vase, peut-être déjà les premiers miasmes des cadavres de ses moutons. Le vertige le prend, une seconde. Le silence l'étreint. Non, il le sait bien, Alexandra ne s'en fout pas. Elle ne s'en est jamais foutue.

Il saute sur une meule de foin, tâtonne contre la tôle pour retrouver la grosse corde que les autres n'ont pas remarquée à midi quand ils sont venus, la décroche. De la bonne corde de chanvre solide qui sert à attraper les brebis, un nœud coulant autour de leur cou. Il y en a plusieurs qu'il attache les unes aux autres.

Il chaloupe sur le chaos du tas de meules. Ses yeux s'habituent à l'ombre de la bergerie et il s'étonne même d'y voir aussi clair. L'eau réverbère à l'intérieur la lumière du clair de lune.

Il s'approche du bord de la dernière meule, jusqu'à se trouver en surplomb de l'eau. La grosse poutre de la charpente est à la verticale, tout près. Il a juste à tendre la main. Il lance la corde, l'arrime solide.

Écarte suffisamment la boucle du nœud coulant. Sa tête est grosse. La corde est rêche dans sa main épaisse. Il évalue la distance avec l'eau. Sauter ne lui fait pas peur.

Quelque chose le démange sur sa jambe. Il continue de faire coulisser la corde raide.

Il s'entend respirer. Il respire fort. Il a toujours respiré fort. Au début, Alexandra lui disait qu'il l'empêchait de dormir. « Non, tu ne ronfles pas. C'est ton souffle. Je t'entends vivre. Et ça m'empêche de me reposer. »

La démangeaison reprend, il y porte la main, comprend : le téléphone de sa mère dans sa poche, le vibreur. Il le sort, presse le bouton par réflexe, écoute.

— Allô...

Il ne répond pas.

— Allô, Guillaume, c'est toi ?

Il ne répond pas. Mais il reconnaît la voix de Philippe.

— Guillaume, réponds-moi ! Je suis sûr que tu m'entends ! Dis-moi quelque chose !

Guillaume grogne. Philippe a reconnu son grognement.

— Tu ne t'occupes pas de ton feu et tu laisses brûler la couenne de seiche, comme d'habitude !

C'est une plaisanterie entre eux. Ils étaient sortis en mer sur le voilier la *Jeune Espérance*. Le but était d'aller coucher à Saint-Martin-de-Ré après un après-midi de bordées dans des directions contraires. Il avait la charge de griller les blancs de seiche du dîner et les avait oubliés sur le feu, préférant courir sur le pont et hisser les voiles avec les camarades.

Il décolle le portable de son oreille, esquisse le geste de le jeter à l'eau. La voix de Philippe l'a ramené sur terre. Tout d'un coup c'est comme s'il avait réintégré son corps. Il voit la corde dans sa main. Il prend vraiment conscience de ce qu'il était en train de faire.

— Ta gueule, Philibert !
— Écoute-moi, Guillaume.
— Qu'est-ce que tu veux ?
— Où es-tu ?
Guillaume soupire.
— À la Prée ?
— Ça te regarde ?
— Oui. Tu as pris mon bateau.
— Tu as vu ça ? J'en avais besoin.
— Attends-moi !
— Lâche-moi, Philibert !
— J'arrive !
Guillaume grogne et, après une hésitation :
— Amandine... Si tu veux...
— Je raccroche une seconde, le temps de trouver une yole, sinon je vais en voler une moi aussi ! Je te rappelle tout de suite...
— Dépêche-toi, Philippe !

Le « dépêche-toi » de Guillaume sonne comme un tocsin dans la tête de Philippe. Il connaît son ami.

Il prévient Alexandra pour la rassurer : il a eu Guillaume au téléphone, il va le chercher, il préfère y aller tout seul.

La marée monte encore dans l'embouchure du Lay. La yole légère qu'il a empruntée a du mal contre le courant et le vent. Le moteur mouline. La passe est longue. Les vagues puissantes le chahutent. C'est le pic des grandes marées.

Quand il rejoint enfin l'eau plus calme du marais, il met les gaz à fond.

Il s'impatiente. Il est inquiet. Il n'est pas sûr de prendre le chemin le plus court. Le marais lui est moins familier que ses champs de bouchots. Les ombres de la nuit sur le miroir de l'eau sont trompeuses.

— Attends-moi, Guillaume ! Ne fais pas le guignol !

Debout à l'arrière de la yole, il a allumé sa lampe frontale. Il l'a rappelé sur le portable mais Guillaume n'a pas décroché. Il fonce vers la bergerie où il entre comme un bolide, heurte une meule de foin qui manque de le renverser.

— Guillaume !

Sa yole est là, vide.

— Oh ! Guillaume !

Il ne le voit pas. Il est arrivé trop tard ! Il appelle encore dans le silence lugubre de la bergerie.

— Je suis là ! grogne Guillaume assis sur sa meule.

Philippe l'aperçoit au bord du vide. Il saute à son tour sur le tas de meules qu'il escalade pour le rejoindre, voit la corde suspendue, le nœud coulant.

— Je crois que sans ton appel je faisais la grosse connerie...

Il parle avec douceur et, dans la bouche de Guillaume, la douceur est toujours émouvante.

— Qu'est-ce qui t'a pris ?

— J'étais comme un somnambule. Je n'étais plus là. J'avais déjà coupé les ponts...

Philippe s'approche et s'assoit auprès de Guillaume.

— Je croyais bien ne plus jamais parler à personne.

La corde oscille devant eux. La lampe éclaire le visage de craie de Guillaume.

— J'suis un pauvre type.

— On l'est tous un jour ou l'autre.

Guillaume ricane.

— Moi, dans le genre, je fais ce qu'il y a de mieux.

— Pourquoi tu dis ça ?

Guillaume le regarde. Le désespoir est encore dans ses yeux.

— Parce que...

Philippe se lève, entreprend de dénouer la corde. Mais le nœud de Guillaume est solide. Philippe sort son couteau de sa poche et s'y reprend à plusieurs fois pour la couper. Il la laisse tomber dans l'eau.

— Je voulais rejoindre le paradis de mes moutons. J'étais déjà sur leur nuage. J'étais bien.

Il frissonne.

— Je crois que j'ai la fièvre.

Philippe le touche.

— Oui, tu es brûlant.

Il l'oblige à se relever.

— Allez, debout ! Ne tombe pas à l'eau !

— Ce serait rigolo que je me noie maintenant ! grince Guillaume, encore amer.

Philippe chaloupe près de lui pour redescendre du tas de meules. Il l'accompagne jusqu'à sa yole.

— Tu vas être capable de la ramener à L'Aiguillon ?

— Ça ira. Comment as-tu su que j'étais là ?

— C'est Alex. Elle était folle d'inquiétude. Tu étais parti et ma yole aussi.

Guillaume le regarde, le fixe.

— N'essaie pas de m'entourlouper avec tes salades ! Alex ?

— Ben oui, Alexandra ! Qui veux-tu qui s'inquiète de toi, à part elle ? Je ne l'avais jamais vue dans un tel état !

— Je suis vraiment un pauvre type...

Ils sont sur leur yole. La lampe de Philippe éclaire le chaos des meules. Il démarre le premier son moteur. Les fétus de foin et de détritus clapotent autour du cadavre d'une brebis.

— Va devant. Je te suis, crie Philippe par-dessus les vrombissements des moteurs.

— T'inquiète pas. Je ne vais pas m'échapper !

— Ce n'est pas ça. Tu connais mieux le chemin que moi.

La lune orange est magique au-dessus d'eux. Les deux barques ourlent dans le miroir un sillon profond qui s'élargit, s'aplanit, s'étale derrière eux, se fond dans l'immense en étincelles d'or.

14.

La messe est dite. La table d'autel est débarrassée.

L'évêque distribue à nouveau la lumière du cierge pascal, la donne aux prêtres, qui la transmettent aux familles des victimes, au Premier ministre, à l'ensemble des fidèles. Tous portent un cierge et, très vite, la cathédrale s'illumine de ces centaines de flammes qui éclairent les visages sur l'écran.

À ce moment-là, comme s'il attendait, le soleil se décide. Certains y voient un signe. Il perce le gris du ciel, allonge un rayon qui caresse la flèche de la cathédrale et fuse jusque sur la place. Un second rayon filtre et s'engouffre. La lumière devient blonde. Les vitraux s'enflamment. La cathédrale s'emplit d'éclats bleus, rouges. Elle devient un vaisseau de lumière.

Julie s'approche du garde-corps de la tribune, près de l'orgue. Elle est entrée en même temps que l'organiste avant la cérémonie, avec son étui à violon. Elle portait aussi un sac en toile de lin où Marinette était roulée en boule, la tête dans les pattes.

L'histoire de son violon a fait le tour des rédactions. Les journalistes ont voulu la photographier avec Marinette. Julie les a fuis. Camille s'est chargée de faire circuler

211

le message. *Quand le prêtre est venu la chercher pour jouer à la cérémonie, à la surprise de Camille, Julie n'a pas dit non.*

Les vibrations de l'orgue n'ont pas ému plus que ça la chatte. Elle dort sur une chaise, le ventre en l'air, la tête un peu pendante.

Elle ne dort que d'une oreille. Son ventre frémit quand l'orgue gronde. Ses babines se retroussent. Ses paupières frissonnent.

Quand Julie s'est levée, près d'elle, elle a redressé la tête, l'a regardée extraire son violon de l'étui, a laissé retomber sa tête en arrière. Julie s'est plantée dans l'angle avancé de la tribune, au-dessus de la foule, dans l'odeur des cierges.

Elle se tient entre ciel et terre dans les flamboiements bleus du grand vitrail. Elle aimerait que la caméra ne la regarde pas. Elle préférerait jouer dissimulée derrière l'orgue, mais on l'entendrait mal. Elle règle la tension de l'archet.

Elle porte encore le gros pull de laine et le jean retourné de son amie. Elle est mal attifée, ne veut pas être belle. Camille la regarde depuis la place, en gros plan sur l'écran, en train de se préparer. Elle aurait pu s'arranger. Quelle allure ! Mettre un peu de maquillage. Au moins du fond de teint. Pour atténuer les taches de rousseur. Cacher les cernes sous les yeux.

Elle a passé la soirée de la veille et la matinée à répéter son morceau. Elle a grossièrement attaché ses cheveux en catogan. Refusé de s'habiller autrement.

— J'y vais pour la musique. En sinistrée comme les autres. Je m'en fous de la télé et de leurs caméras !

Elle déplie un mouchoir blanc sur la mentonnière du violon.

L'orgue lui donne le la *pour qu'elle s'accorde. Elle essuie* sa main à son jean, positionne ses doigts, les enlève pour mouiller son index, pose l'archet sur les cordes. Elle est grande, les joues creuses.

Elle se passe de partition. Elle a choisi l'adagio de la Sonate nº 1 en *sol* mineur *de Jean-Sébastien Bach. Elle attend le signal de l'organiste. Les flammes des cierges scintillent dans la cathédrale. L'organiste lui fait signe : quand tu veux.

Elle regarde Marinette sur sa chaise, ferme les yeux.

Elle ne sait pas si elle joue bien. Elle se glisse dans la douleur du violon, laisse couler les notes en sanglots.

Elle se cramponne à son poteau électrique, entend les déferlements des flots et du vent. Parfois, tandis qu'elle reçoit un paquet d'écume sur la figure, elle entend une voix qui crie « Maurweenatte ». Sa mère est dans la cathédrale avec un cierge, en bas. Elle lui a obtenu une place.

Les gens, dans le sanctuaire et sur la place, retiennent leur souffle. Ce gémissement, cette longue plainte modulée, émouvante et fragile comme un cri d'enfant, qu'ils connaissent la musique ou pas, les secoue.

Ils regardent Julie se balancer avec son archet, les yeux fermés, comme ballottée par les flots.

Elle ne rappelle pas seulement la catastrophe. Elle la dépasse. Elle pousse un long pleur qui vient du ventre, qui monte, s'allège, devient très pur, aérien, plane comme les oiseaux et renvoie à l'éternité.

Elle édifie dans la cathédrale et sur la place un sanctuaire de sons. Son violon ne sonne pas toujours à la perfection. Mais la grand-mère, sur les marches du monument aux morts, laisse couler des larmes brûlantes. D'autres autour d'elle pleurent aussi.

Ça dure quatre minutes trente, l'adagio de Bach. Ce

n'est pas long, quatre minutes. Elle joue la dernière mesure, ouvre ses yeux bleus comme si elle sortait d'un rêve. Un peu de sueur perle sur son front.

L'assistance est prostrée, silencieuse. Un ange est passé. Les larmes continuent de couler. Les mouchoirs essuient les paupières.

Et puis les toux reprennent.

L'évêque verse des grains d'encens sur les charbons.

Les portes de la cathédrale s'ouvrent. Les fourgons des pompes funèbres sont là. Les gens ont commencé déjà de quitter la place pour éviter la cohue. Guillaume rame à contre-courant pour rejoindre les premiers rangs. Il est venu avec Philippe et sa femme.

Il tend le bras par-dessus une épaule, pose la main sur celle d'Alexandra au premier rang. Elle se retourne. Il ne peut pas lui parler. La foule commence à sortir du sanctuaire par la porte latérale et le jardin de l'évêché.

Le père d'Alexandra, à côté d'elle, se retourne aussi et lui fait signe d'approcher. Guillaume a du mal à se glisser, avec ses épaules, son ventre, y arrive presque. Il est derrière eux, au second rang.

Amandine l'appelle :

— Papa !

Elle passe des bras de son grand-père à ceux de son père qui l'embrasse, ferme les yeux, l'embrasse encore.

Alexandra et lui ont continué de s'éviter pendant ces quatre jours. Elle a encore dormi avec Lucie dans la caravane. Il partait avant le jour pour travailler sur les digues. Il a compté les cadavres de moutons à la Prée, déplacé les sacs d'huîtres avec Philippe. Ils se sont croisés dans leur maison du lotissement où elle est allée plusieurs fois. Les grosses pompes crachent 8 000 mètres cubes d'eau à l'heure dans l'estuaire du Lay et n'en finissent pas de vider la cuvette.

— On dirait que tu te fiches de ta maison ! lui a reproché sa mère qui ne comprend pas qu'il se sauve et laisse Alexandra se charger de tout.

Chez elle, c'est toujours plein. La maison déborde et elle passe son temps à nourrir tout le monde.

— Qu'est-ce qui vous arrive ? Tu crois qu'il n'y a pas autre chose à faire en ce moment que de vous chamailler ?

— On ne se chamaille pas, maman.

— Tu me prends pour une idiote ?

Tout est détruit dans leur maison. Rien n'est récupérable. Le fourgon, la voiture, sont bons pour la ferraille. Alexandra a ramassé quelques livres, des vêtements, des papiers, avec l'espoir de récupérer quelque chose. Elle a essayé de faire sécher des photos avec un sèche-cheveux. Elle a commencé de sortir les meubles détruits, le frigo, les matelas.

— C'est comme si on donnait à voir nos tripes !

Elle a pris des photos pour les assurances.

Les cloches sonnent. Les employés des pompes funèbres aident à charger les cercueils dans les fourgons. Les familles sortent de la cathédrale. La lumière crue du soleil les aveugle et la foule, le bruit, les caméras leur font baisser la tête. Les pigeons continuent leurs vols en froissements de soie.

Les portières des fourgons se ferment. Sur l'écran, on ne voit plus que la neige.

Cette fois, c'est bien fini. Michèle, Agathe, Gilles s'en vont. Des cercles se forment autour des responsables politiques, des colonels de pompiers et de gendarmerie. Camille traverse la rue et accourt à la rencontre de Julie qui vient de sortir, la chevelure blond-roux comme les chaumes, avec son étui à violon, son écharpe verte et le chat, la tête sortie du sac. Elle prend son amie dans ses bras et l'embrasse avec effusion, lui badigeonne son rouge à lèvres sur les joues.

Trois ou quatre personnes des familles de Michèle ou d'Agathe s'approchent de Julie et lui tendent la main pour la remercier. Elle secoue la tête. Elle porte la main à sa poitrine. Elle dit qu'elle a joué avec ça, pour être avec eux, comme elle l'a été la nuit de la tempête. Ils acquiescent, gardent sa main comme s'ils ne voulaient pas la lâcher. Elle les regarde. Ses yeux clairs sur eux.

La vie reprend. Les rideaux baissés des magasins se relèvent. Le battement des cloches se ralentit. Le Premier ministre s'est éclipsé par le jardin de l'évêché.

— J'ai envie de passer par la Prée en rentrant. Est-ce que tu viendrais avec moi ? demande Guillaume.

Alexandra se retourne encore.

— Avec quelle voiture ?

— Philippe nous laisse celle qu'on lui a prêtée.

217

Il rentre avec les voisins et il y a une place pour ton père.

— Tu as tout prévu ! Tu es sûr que je vais venir avec toi ?

— Je ne suis sûr de rien...

— Je veux aller à la Prée avec vous, dit Amandine, la joue appuyée sur l'épaule de son père.

— Tu veux qu'on y aille tous les trois ? demande Alexandra en glissant le doigt dans la main de sa fille.

Philippe n'a pas dit ce que Guillaume voulait faire pendant la nuit mais Alexandra l'a compris.

— Allez-y, lui dit son père. Le chemin de la Prée est praticable ?

— Pas partout, mais on passe.

— Vas-y, Alex... Où est Philippe ?

Le père tend son nez cabossé, sa figure griffée de rides. De ses mains écorchées, il ajuste la casquette qui cache le pansement de sparadrap et de tulle sur sa blessure au cuir chevelu.

15.

La « voiture » qu'on a prêtée à Philippe est un vieux fourgon Citroën à trois places qui sert à transporter les casiers d'huîtres et les pieux de bouchots. Il sent la marée, le sel. La rouille a creusé des trous dans la tôle. Il dégage en démarrant un lourd nuage de fumée. Amandine est assise entre son père et sa mère. Ils ont mis un temps fou à lui attacher sa ceinture qui ne sert jamais.

Le marais, de chaque côté de la route, est toujours inondé. Plus ou moins. Ici ou là, quand la terre est un peu plus haute ou plus poreuse, une croûte brune émerge. Le soleil qui frappe en oblique ce miroir à perte de vue éblouit.

Heureusement le terre-plein de la route est très élevé. Dans les larges fossés des bas-côtés flottent des débris de planches, des branches, des bidons, du plastique, des chiffons. Des fétus de paille et d'herbe indiquent dans les clôtures et les arbustes la hauteur où l'eau est montée, bien au-dessus du niveau de la route. Guillaume freine et s'arrête près d'un amoncellement de laisses de mer. Un petit fût émerge du tas de débris noirs et boueux, l'osier brun d'un berceau d'enfant, un moïse. Il dit :

— Ils sont peut-être à nous.

Elle ne sait pas de quoi il parle. Et puis elle distingue sous la saleté, parmi les brindilles, un cadavre de mouton à la laine noircie. Un autre.

Il redémarre.

— Il faudra bien savoir qui est responsable... grommelle-t-il.

— Tu crois qu'il n'y a qu'un responsable ?

— Ils ont fait des forages pour vérifier la solidité de la digue de terre du lotissement et c'est à ces endroits-là que la digue a cédé...

— Tout le monde est responsable...

Il oblique sur le chemin de la Prée. Cette fois, ils sont au milieu de l'eau saumâtre. Le chemin est quasiment au niveau du marais. L'eau traverse en ruisseaux qui moussent et dort en mares dans les creux.

Guillaume avance au ralenti. Le moteur du fourgon s'emballe quand il patine sur la vase.

Une fumée de gasoil bleue flotte dans la cabine. Amandine se pince le nez. Le fourgon tangue, s'incline dangereusement vers le marais.

— On est déjà passés, ce matin, dit-il, rassurant, en baissant sa vitre pour changer l'air.

Ils entrent dans une mare profonde, de l'eau jusqu'au-dessus des roues. Le fourgon pioche, mouline, s'arrache.

— C'est le plus profond, après...

Après, droit devant, c'est la Prée, cette boue noire qui scintille, cette vase.

Amandine se tait, écoute, regarde d'un air grave,

réfléchi. Elle serre son doudou qu'elle ne lâche plus. Elle n'a jamais autant serré son doudou. Quand sa grand-mère lui demande si elle a eu peur pendant la nuit de la tempête, elle répond :

— Mo... mon d... doudou, il est fort. Il ne s'... s'est pas laissé tu... tuer.

Elle bégaie. Depuis la tempête, elle bégaie. Elle demande toujours à se réfugier dans les bras, au cou. Ils s'arrêtent après les pierres trouées du « barreau » de la cour.

— Il faudrait des bottes, dit-il en coupant le moteur.

Le silence est aussitôt là, lourd. Le moteur se refroidit et craque. Guillaume descend un peu sa vitre pour chasser les relents de fumée et empêcher la buée. L'odeur de vase monte, âcre, piquante. Alexandra ôte son bonnet de laine et libère ses cheveux qui dégringolent sur ses épaules. Elle toussote. Guillaume remonte un peu plus haut sa vitre.

L'eau s'est retirée de la motte où est la maison. Une large flaque s'étire jusqu'à la marche du seuil.

Alexandra cligne des yeux vers la bergerie, le portail arraché, les meules de foin énormes qui baignent dans la cour. Le soleil du soir qui rougit lui fait mal aux yeux.

— J'ai enterré le chien...

Il montre le monticule de boue sur la motte.

— Je n'ai pas voulu l'envoyer avec les moutons.

Alexandra tousse, le poing devant sa bouche. Elle a pris froid dans la caravane, à moins que ce soit la nuit dans les combles.

— Les rats avaient commencé à s'attaquer aux bêtes.

Elle ouvre la portière en toussant encore, une quinte.

— Ne descends pas. Tu en auras jusqu'aux chevilles.

Elle se penche au-dehors. Les roues du fourgon ont creusé des ornières dans la vase. Le silence est trompeur. On entend le roulement des vagues qui grondent au loin comme une escadrille d'avions. Elle referme, tousse encore.

Guillaume croise les bras sur le volant, souffle, balaie sans les voir la maison, la cour, la bergerie, le tracteur enlisé, croise le regard d'Alexandra.

Ils ne se sont pas regardés depuis quatre jours. Ont-ils au fond des yeux des traces de ce qui s'est passé pendant la nuit de la tempête ? Est-ce que *ça* se voit ? La mère de Guillaume l'a vu. Le père d'Alexandra, sans doute, aussi.

Est-ce que lui, Guillaume, a vu qu'Alexandra connaissait son histoire avec la fille Ollivier et qu'elle avait écrit ce tag pour se venger ? Peut-être avait-il cessé de vraiment la regarder ?

Parfois un anneau brillant scintille autour de la prunelle noire d'Alex. Cet anneau suffisait pour lui échauffer la peau quand ils passaient leurs nuits du samedi dans les boîtes. Elle le tirait par la main et ils tanguaient ensemble. Elle ne voyait pas les autres. C'était lui qu'elle avait choisi, qu'elle embrassait à pleine bouche les yeux fermés, les bras autour de son cou.

Elle n'a pas vieilli. Elle est encore celle qui

tanguait seule sur la piste quand les copains emmenaient Guillaume au bar. « Nom de Dieu ! disaient les copains. Ta gazelle ! » C'est lui qui s'est habitué, lui qui a pris du poids. Elle est de ce pays plus qu'elle ne le croit. Elle est la mer, le marais, la digue, la tempête. Elle a le port de reine de son ancêtre coureuse de digues et de vases.

Elle peut, demain encore, se lever la nuit avec sa bombe pour faire tout exploser.

Bon Dieu, tu as eu raison, Alex !

Il revoit sa corde qui se balance à la poutre de la bergerie.

— Alexandra, j'aimerais te poser une dernière question. Après, si tu le souhaites, on n'en parlera plus. Pourquoi es-tu revenue sur ça la nuit de la tempête ?

— Parce que... parce que j'ai pensé... qu'on pouvait mourir...

Il appuie le front sur ses bras posés sur le volant.

— Si tu n'es pas là, pour moi rien n'a plus de sens.

Elle ne répond pas, fixe le soleil au bout du ciel en clignant des yeux.

— Si tu n'es pas là, articule-t-elle enfin lentement à son tour, pour moi rien n'a plus de sens...

Il relève la tête. Il se demande si elle ne se fout pas de lui. Elle a l'anneau luisant autour de la prunelle.

— Je le pense, moi aussi.

Elle rejette ses cheveux sur ses épaules, laisse aller sa tête en arrière, la nuque sur la tôle de la cabine.

— Je n'ai pas changé d'avis depuis Lounesse.

Elle le regarde encore, la tête en arrière.

— D... doudou, murmure Amandine pour qu'on s'occupe d'elle.

Alexandra glisse sa main entre le doudou et la joue d'Amandine, la laisse au contact de sa peau soyeuse.

— J'ai tout brassé pendant ces quatre jours, dit-elle. Les gens ne partiront pas d'ici, malgré les morts et tout. On est au bout du bout. Les vases montent. Les dunes bougent. Les digues s'effondrent. La mer reprend ce qu'elle a laissé construire. Rien n'est fixé et pourtant les gens restent. C'est comme pour le cyclone de La Nouvelle-Orléans. Qu'est-ce qu'ils ont fait les habitants après avoir compté leurs morts ? Ils ont réintégré leurs bayous et réparé ce qui pouvait l'être.

Elle tourne un peu la tête pour suivre les grandes artères lie-de-vin qui sillonnent le ciel avec le glissement du soleil. Est-ce le soleil qui lui donne de la rougeur ou la chaleur de ce qu'elle dit ?

— Il est même beau, le marais inondé qui saigne, avec sa digue en morceaux, le pont de Ré et les silos de La Pallice au bout de la mer...

Guillaume suit son regard, revient aux tôles tordues, au tracteur dans l'eau, à l'immobilité du marais englouti.

— Il saigne parce qu'il est tout détruit.

— Mon arrière-grand-mère, la Mularde, a dû en essuyer des tempêtes quand elle vivait à la Pointe avec son père. Elle a connu pire, après, quand son homme est parti au bagne à Cayenne. Ma mère s'est fait ramasser sur la route de la digue. C'est pour ça que j'ai voulu qu'on parte en Charente.

Amandine s'agite, s'impatiente, tire sur la ceinture qui lui fait mal au cou.

— Tu veux venir sur mes genoux ? lui demande son père.

Il la détache, la prend, l'enveloppe de ses bras.

— On... on dirait que ça brûle, murmure la petite en tétant son pouce, les yeux dans les scintillements du marais.

— Oui, souffle Guillaume dans les cheveux de sa fille.

— Ce pays est un mirage, murmure Alexandra.

Elle ferme les yeux. La lumière rouge qui la profile, légèrement cambrée, la rend très belle. Elle fait luire sa peau mate, souligne son nez droit, sa bouche charnue, la douceur de son long cou.

— La Charente n'était pas faite pour nous. Tu n'avais rien à attendre de cette fille.

— Tu as raison.

Elle croise les genoux, balance sa jambe. Il remonte sa fille un peu plus haut à son cou. C'est cette jambe droite qu'elle balance lorsque quelque chose l'énerve ou qu'elle se heurte à un problème. Il avait l'habitude d'y appuyer la main pour arrêter son balancement. Il n'ose pas.

Il lève les yeux vers le ciel carrément rouge maintenant.

— S'il continue à briller comme ça, il devrait quand même assécher le marais, dit-il.

Il regarde sa montre.

— Il faudrait rentrer. J'ai promis d'aider Philibert à transporter des meubles pour deux vieux qui n'ont plus rien.

Depuis trois jours il ne quitte plus son copain qui

l'a sauvé. La jambe d'Alexandra ralentit son balancement. Il tend le bras. Elle sent autour de son genou sa poigne maraîchine.

— Tout va dépendre du temps où l'eau va rester sur les terres. Plus elles seront inondées, plus il y aura de sel. À ce moment-là, on saura quelle quantité de gypse il faudra répandre pour les lessiver. Ça coûtera.

Elle veut agiter la jambe, il serre ses phalanges.

— La maison, ici, n'a pas trop souffert. Ils savaient où ils les construisaient autrefois, pas comme aujourd'hui. Si on se décidait à la nettoyer, elle pourrait être très vite habitable. Il suffirait que le chemin soit sec. Est-ce que tu serais d'accord pour qu'on essaie de recommencer à la Prée ?

— Recommencer quoi ?

Il cherche ses mots, repose Amandine sur son siège et, en ouvrant sa portière :

— Ce qu'on a raté...

Il descend dans la boue.

— Papa ! crie Amandine, t... tu vas t... toucher !

Elle se met debout sur le siège pour voir. Ça passe en effet par-dessus les chevilles de Guillaume parce qu'il ne fait pas attention où il marche. Ça lui emplit les brodequins qu'il a trouvés pour la cérémonie à Luçon. Depuis quatre jours, il a toujours été en bottes.

Il va jusqu'au mur de la maison, se penche.

— Je l'avais repéré celui-là, crie-t-il, dès dimanche, quand on est venus.

Il brandit dans sa main un paquet rond qu'il débarrasse de sa gangue, apporte jusqu'à une mare où il le fait tourner pour le nettoyer. Quelque chose de rond et rouge apparaît dans la lumière rouge.

— Qu'est-ce que c'est, maman ?

— Je ne sais pas.

Il se retourne, le brandit dans sa main.

— Un ballon, maman !

Un ballon rouge, gros comme un ballon de basket. Un ballon de plage en plastique souple et brillant.

— Il n'est pas crevé, dit-il en s'approchant.

Il sort un chiffon sous le siège, essuie avec soin le ballon qui brille, bien propre, rouge vif.

— D'où vient-il ? À qui était-il ? Tu le veux, Amandine ?

Amandine piétine, debout sur son siège. Elle a lâché son doudou, tend les bras.

— Attention ! Il est un petit peu lourd !

Elle reçoit le ballon. Il regarde son pantalon, ses brodequins dans la gadoue, pose le pied sur le marchepied, commence à délacer ses chaussures.

— Qu'est-ce que tu fais ?

— Je vais conduire pieds nus.

Elle regarde son homme s'affairer, tête baissée. Quelques éclats de boue ont giclé dans le crin épais de ses cheveux.

— L'assureur est passé là, ce matin. Il m'a dit qu'il devrait pouvoir nous indemniser très vite de la perte des brebis. Le ministre de l'Agriculture a promis de débloquer des aides tout de suite...

Il éponge la boue qui noircit son pied avec le chiffon qui a servi pour le ballon.

— Tu es prêt à signer un nouveau bail ?... murmure-t-elle.

— Avec qui ?

— Avec moi.

— C'est moi qui te le demande.

— Méfie-toi, tu sais que je suis « impossible » !

Il monte dans le fourgon, range ses brodequins boueux sous son siège. Elle balance sa jambe. Il appuie son poing sur son genou pour l'arrêter. Elle y pose sa main.

— J'ai voulu te garder et j'ai failli te perdre ! Pardonne-moi !

— C'est moi qui te demande pardon !

Elle se met à pleurer. Ils se prennent dans les bras. Il pleure lui aussi.

— P... pourquoi vous pleurez ? demande Amandine.

— Parce qu'on est contents !

La petite lâche son ballon. Ils la prennent avec eux. Ils s'embrassent. La petite les serre, fort, fort, fort.

— Même si les aides viennent vite, dit Guillaume en s'essuyant les yeux, elles nous laisseront le temps de nettoyer la maison et d'y mettre le minimum pour nous installer.

— Ça va être difficile. On va tout recommencer de zéro. On n'a plus rien. Plus de vêtements, plus de meubles, plus de photos. Je ne récupérerai pas des photos de ma mère que mon père n'a pas.

Il retourne jusqu'aux genoux les jambes de son pantalon.

— Tu vas pouvoir conduire pieds nus ?

— Tu ne te souviens pas que je le faisais lorsqu'on allait à la plage ?

Alexandra attache Amandine. Elle lui rend son

ballon. Guillaume démarre. Il a du mal avec les pédales. L'embrayage patine.

Il fait demi-tour dans la cour lentement.

— Les paysans de la plaine ont livré du foin à ceux qui n'ont plus rien pour leurs bêtes.

— Tu crois que la cheminée sera suffisante pour sécher les murs et nous chauffer ?

— Nous chauffer, sûrement ! Il y a deux cheminées ! On aura besoin de bois. Mais avec la solidarité, on aura ce qu'il nous faut.

— Je n'étais pas sûre de vouloir venir habiter ici...

— Et maintenant ?

— Quand veux-tu commencer à nettoyer ?

— La maison, demain matin, si tu es d'accord. Si Philippe ne peut pas me prêter son fourgon, on trouvera toujours un véhicule.

— Je me réveille toutes les nuits à trois heures. La maison de la Prée est bien, elle a un étage.

Le fourgon tangue dans la mare du chemin. Le rouge du ciel tourne au violet. L'eau sur le marais devient une masse sombre. Amandine serre le ballon rouge devant elle. Ses cheveux crépus, ses yeux noirs lui mangent la figure. On l'appellera peut-être, elle aussi, la Mularde, un jour. Ou la Gazelle.

Alexandra tourne et retourne le doudou de sa fille entre ses doigts.

En guise d'épilogue

On dit que la hauteur moyenne des vagues a été de huit mètres pendant la nuit de la tempête.

Beaucoup a déjà été fait depuis. Les brèches des digues ont été colmatées. Le cordon dunaire a été restauré. Les terres englouties ont été amendées. Il faudra des années et beaucoup d'argent pour reconstruire l'intégralité des digues. Les terres salées, rendues infertiles, mettront du temps avant de retrouver leurs couleurs.

Les procès sont en cours. Les débats, les discussions houleuses, les recherches des responsables n'ont pas fini d'agiter la population. L'État a indemnisé les propriétaires des zones noires déclarées inconstructibles où les maisons devraient toutes être détruites. Dans les zones rouges les refuges seront obligatoires.

Les blessures demeurent à vif. La mer est là, l'estuaire du Lay. Les visiteurs n'arrivent déjà plus à imaginer que, pendant la nuit du 27 au 28 février 2010, les vagues ont pu à ce point se soulever et tout engloutir et tuer. Elles l'ont fait.

La ministre de l'Écologie a présenté un « plan de

prévention contre les submersions rapides ». Dans l'emportement des premières réunions avec les responsables de l'État, une femme qui refusait le classement de sa maison en zone rouge a crié : « Il n'y aura plus jamais de tempête ! »

L'Épinay
27 février 2011

Cet ouvrage a été imprimé
en août 2011 par

FIRMIN-DIDOT

27650 Mesnil–sur–l'Estrée
N° d'édition : 51726/01
N° d'impression : 105704
Dépôt légal : août 2011

Imprimé en France

*Cet ouvrage a été composé et mis en pages
par ÉTIANNE COMPOSITION
à Montrouge.*